D1936732

ZEHN GERECHTE

Erinnerungen aus Polen
an die deutsche Besatzungszeit
1939–1945

Janineum – Wien 1999

Titel der polnischen Originalausgabe:
„Dziesięciu sprawiedliwych"
Verlag: Biblioteka „Więzi", Warszawa 1986
Redaktion: Jan Turnau, Grzegorz Polak

ISBN 3-901194-08-8

Textauswahl aus dem Original
und Ergänzungen: Anna Glaser, Janina Wizor

Übersetzung aus dem Polnischen: Stanisław Dzida
Redaktion: Margit Macho
Redaktionelle Mitarbeit: Elfriede Csoklich
Gestaltung des Umschlags: Jerzy Gadomski

5. Auflage 1999
Copyright © JANINEUM Wien
Druck: ARCH Brno

INHALT

Helmut Krätzl, Weihbischof (Wien)
VORWORT ... 9
Viktor E. Frankl (Wien)
IN MEMORIAM ... 10
Roman Brandstaetter
IN HAMBURG ... 13
Marta Budnik (Nakło)
ICH BETE DAFÜR, DIESE MENSCHEN NOCH EINMAL TREFFEN ZU KÖNNEN ... 15
Jan Byczkowski O. M. (Gdynia)
HEILIGEN KANN MAN UNTER ANDEREM AUCH IN EINEM BESATZUNGSBÜRO BEGEGNEN ... 16
Halina Czermińska-Żelaźniewiczowa (Wrocław)
EINE EPISODE AUS DEM WARSCHAUER AUFSTAND ... 19
„Ćwik"
UNTER DEN BÖSEN FANDEN SICH AUCH GUTE ... 23
Anna Domaradzka (Płock)
ALFRED WALLNER ... 25
Oskar Drechsler (Tarnowskie Góry)
DR. HAGENOV ... 25
Stanislaw Dryja-Wysocki (Warszawa)
EDLE MENSCHEN AUS LAUTERBACH ... 30
Honorate Dunin (Przemyśl)
„ICH DENKE NICHT DARAN, FÜR DEN FÜHRER ZU STERBEN" ... 34
Lech Dygus (Niemce)
„DER HERR NIMMT DIR DIE KUH NICHT WEG" ... 36
Taduesz Epsztein (Warszawa)
FRANZ SCHMIDT ... 37
Irena Gabrysiowa (Nowy Sącz)
SIE HILFT MIR WEITERHIN ... 41
Józef Geringer D'Odenberg (Yamoussoukre/Elfenbeinküste)
„UNSER" MAJOR ... 43
Natalia Głuchowska (Gdańsk-Wrzeszcz)
EIN SAMARITER ... 45
Stanisław Grodziski (Kraków)
OBERLEUTNANT KLUGE ... 46
Anna Grodzka (Łaty)
SOLDATEN UND BIENEN ... 48

Edward Haneman (Częstochowa)
HAUPTMANN PAUL HOLLENWEGER 50
Krystana Hartleb (Toruń)
DORIS 51
Bohdan Hyla (Kraków)
PAUL NEUGEBAUER 54
Eugeniusz Jelonek (Skawina)
THOMAS MEILERT 57
Andrzej Jochelson (Wrocław)
DAVID ADAM SCHILLING 59
Emilia Karpińska-Stanek (Poznań)
WILLI HUBER 61
Aldona Kimontt (Warszawa)
GOTT SCHICKTE UNS EINEN ENGEL
IN DER WEHRMACHTSUNIFORM HERAB 63
Marta Kłyszewska (Warszawa)
WENN UNS GOTT NICHT STRAFT 66
Janina Kmita-Stradecka (Warszawa)
DR. EUGEN ZAY 70
Jerzy Koperkiewicz (Kutno)
SIE SCHÄMTEN SICH, DEUTSCHE ZU SEIN 74
Pater Alfons Kotlewski (Gomunice)
PAPIERZUTEILUNG 77
Joanna Kwiecińska (Warszawa)
„DU KANNST POLNISCH REDEN“ 78
Anna Lachmann (Strzebiń)
UNTERRICHT IM PATRIOTISMUS 80
Mieczysław Latosiński (Giebło)
WIR ESSEN ZUSAMMEN 81
Sławomir Lipski (Warszawa)
GUTEN ABEND, LIEBE FAMILIE 82
Andrzej Madeyski (Warszawa)
GEORG NAVE 86
Kazimierz Majdański, Bischof (Szczecin-Kamień)
DIES IST EIN ZEUGNIS KZ-HÄFTLINGS Nr. 22829 87
Pater Józef Majkowski SJ (Warszawa)
EIN FRÜHSTÜCK AUF HITLERS KOSTEN 101
Łucja Mazurkiewicz (Ostrzeszów)
DER LETZTE KRIEGSWEIHNACHTSABEND 104
Maria Mitrenga (Lwówek Poznański)
DIE FRAU DES PASTORS 106

Helena Mrozińska (Wejherowo)
ICH WERDE EUCH HELFEN 107
Kazimierz Nowacki (Dąbrowa Górnicza)
VON EINEM MANN, DER SICH BEWÄHRT HAT 108
Stanisław Przedmojski (Łask)
EINSATZ FÜR EINEN POLEN 109
Tadeusz Robak – Häftlingnummer 137968 (Nowa)
SCHARFÜHRER SCHUHMACHER WAR ANDERS 112
Paweł Rogalski (Warszawa)
OBERGEFREITER HANS GABLER 114
Jadwiga Różyczkowa (Końskowola)
MENSCHEN IM WAHRSTEN SINNE DES WORTES 116
Teresa Skurowa (Warszawa-Międzylesie)
BITTE FÜR UNS 120
„Stefan"
PROF. HEILMAYER 121
Jadwiga Strzemska (Warszawa)
ER WÄHLTE EINEN SCHWIERIGEN WEG 123
Anna Sucheni-Grabowska (Warszawa)
LEUTNANT LULAY IN POLEN – FRÜHJAHR 1940 125
Stanisław Szary (Warszawa)
ES WAR NICHT NUR HELLENBRAND ALLEIN 128
Jan Śliwiński (Kraków)
JULIUS MADRITSCH 132
Jadwiga Turnau (Warszawa)
WEHRMACHT KONTRA GESTAPO 136
Zbigniew Wierzbicki (Warszawa)
KREISSCHULRAT CMIEL 137
Janina Wojtiszek (Gliwice)
HRAMOTA 139
Aleksander Zaczyński (Zakopane)
ICH HÄTTE IHN ALS ERSTER IN SCHUTZ GENOMMEN 141
Maria Zaremba (Warszawa)
SCHWESTER MAURA 142
Alina Zduniak (Warszawa)
ICH SCHREIE, WEIL ICH SCHREIEN MUß 144
Maria Zdziechowska (Warszawa)
RETTINGER WAR FREUNDLICH ZU UNS 146
Teresa Żółkowska-Kądzielowa (Warszawa)
DER GENDARM 147
Margit Macho (Wien)
NACHWORT 149

Dr. Helmut Krätzl
Weihbischof (Wien)

VORWORT

Aus der Vergangenheit hat die Menschheit noch kaum etwas gelernt. Dennoch muß man sich mit der Vergangenheit auseinandersetzen, um zu analysieren, wie es zu so viel Greueltaten kommen konnte, um so weit als möglich Unrecht gutzumachen, vor allem aber um rechtzeitig auf Sicherungen bedacht zu sein, daß Ähnliches nicht wiederkehrt.

Das vorliegende Buch ist voll von schrecklichen Erlebnissen, die Menschen in der Verfolgung in den Konzentrationslagern hatten, Christen, vor allem aber Juden. Was dieses Buch aber vor anderen kritischen Rückblicken auszeichnet ist, daß in den Beiträgen inmitten aller Greueltaten dennoch das Positive gesucht wird. Vielfach waren es heldenhafte Personen, die unter dem Einsatz ihres Lebens noch größeres Übel verhinderten, durch menschliche Zuwendung selbst den Alltag des KZs noch ein wenig erhellten oder andere sogar vor diesem Weg in die Vernichtung bewahrten. Damit wurde diesen Menschen gleichsam ein Denkmal gesetzt und auch jeglicher Pauschalverurteilung einer Generation der Grund entzogen.

Freilich klingt auch daraus die Warnung hervor, alles nur Erdenkliche zu tun, damit in einem politischen System oder einer Nation nicht gerade die „negative Auslese" an die Oberfläche kommt. „Dagegen ist aber keine Nation gefeit, und in diesem Sinne ist auch jede Nation grundsätzlich holocaustfähig!", wie Viktor Frankl in seiner Gedenkrede am Wiener Rathausplatz 1988 so nachdrücklich sagte.

Möge dieses Buch aber auch eine Hilfe sein, daß Versöhnung besser gelingt. Vergangenheitsbewältigung besteht nicht nur in der gründlichen Auflistung der Schuldfrage, sondern auch im Versuch zu vergeben. Denn nur durch Versöhnung kann der Teufelskreis von Unrecht und dauernder Vergeltung gesprengt werden. Mit Roman Brandstaetter sollte man zur Haltung vorstoßen, selbst den größten Peinigern noch zu wünschen „über keinen möge das Blut kommen – über keinen".

Es ist wichtig, im Leben das Gute zu suchen, und die Guten zu ermutigen. Die vorgelegten Zeugnisse spornen uns neu dazu an.

Wien, im März 1996

Viktor E. Frankl
Wien

IN MEMORIAM 1938*

Meine Damen und Herren, ich hoffe auf Ihr Verständnis, wenn ich Sie bitte, zu dieser Stunde des Gedenkens gemeinsam mit mir zu gedenken: Meines Vaters - er ist im Lager Theresienstadt zugrundegegangen; meines Bruders – er ist im Lager Auschwitz umgekommen; meiner Mutter – sie ist in der Gaskammer von Auschwitz ums Leben gekommen; und meiner ersten Frau – sie hat im Lager Bergen-Belsen ihr Leben lassen müssen. Und doch muß ich Sie darum bitten, von mir kein Wort des Hasses zu erwarten. Wen sollte ich auch hassen? Ich kenne ja nur die Opfer, aber nicht die Täter, zumindest kenne ich sie nicht persönlich – und lehne es ab, jemanden *kollektiv* schuldig zu sprechen. Eine Kollektivschuld gibt es nämlich nicht, und ich sage das nicht erst heute, sondern ich hab das vom ersten Tag an gesagt, an dem ich aus meinem letzten Konzentrationslager befreit wurde – und zu der Zeit hat man sich wahrlich nicht beliebt gemacht, wenn man es gewagt hat, öffentlich gegen die Kollektivschuld Stellung zu nehmen.

Schuld kann jedenfalls nur persönliche Schuld sein – die Schuld an etwas, das ich selbst getan habe – oder vielleicht zu tun unterlassen habe! Aber ich kann nicht schuld sein an etwas, das andere Leute getan haben, und seien es auch die Eltern oder die Großeltern. Und den Österreichern, die heute zwischen 0 und 50 Jahren alt sind, in diesem Sinne eine sozusagen „rückwirkende Kollektivschuld" einzureden, halte ich für ein Verbrechen und für einen Wahnsinn – oder, um es psychiatrisch zu formulieren, es wäre ein Verbrechen, würde es sich nicht um einen Fall von Wahnsinn handeln. Und um einen *Rückfall* in die sogenannte Sippenhaftung der Nazis! Und ich denke, gerade die Opfer ehemaliger kollektiver Verfolgung sollten die ersten sein, die mir da zustimmen. Es wäre denn, sie legen Wert darauf, die jungen Leute den alten Nazis oder den Neonazis in die Arme zu treiben!

* (Rede gehalten am 10. März 1988 vor 35.000 Zuhörern auf dem Wiener Rathausplatz im Rahmen einer Gedenkkundgebung anläßlich des Hitler-Einmarsches vor 50 Jahren)

Ich komme zurück auf meine Befreiung aus dem Konzentrationslager: Ich bin dann mit dem ersten möglichen (wenn auch nur illegal möglichen) Transport auf einem LKW nach Wien zurückgekehrt. Inzwischen hat man mich 63mal nach Amerika geholt – aber jedesmal bin ich wieder nach Österreich zurückgekommen. Nicht weil mich die Österreicher so geliebt hätten; sondern umgekehrt, weil ich Österreich so geliebt habe, und bekanntlich beruht Liebe nicht immer auf Gegenseitigkeit. Nun, wann immer ich in Amerika bin, fragen mich die Amerikaner: „Warum sind Sie, Herr Frankl, nicht schon *vor* dem Krieg zu uns gekommen? Sie hätten sich doch viel ersparen können." Und ich muß ihnen dann erklären, daß ich jahrelang auf ein Visum warten mußte, und wie es dann endlich soweit war, da war es auch schon zu spät, denn ich hab es einfach nicht über mich gebracht, mitten im Krieg meine alten Eltern ihrem Schicksal zu überlassen. Und dann fragen mich die Amerikaner weiter: „Und warum sind Sie dann nicht wenigstens *nach* dem Krieg zu uns gekommen? Hatten Ihnen die Wiener zu wenig angetan, Ihnen und den Ihren?" „Nun", sag ich den Leuten, „in Wien gab es z.B. eine katholische Baronin, die unter Lebensgefahr eine Kusine von mir als „U-Boot" versteckt gehalten und ihr so das Leben gerettet hat. Und dann gab es in Wien einen sozialistischen Rechtsanwalt – der hat mir – ebenfalls sich selbst gefährdend – Lebensmittel zugesteckt, wann immer er nur konnte." Wissen Sie, wer das war? Der Bruno Pittermann, nachmaliger Vizekanzler von Österreich. „Nun", frag ich die Amerikaner weiter, „warum hätte ich in eine solche Stadt, in der es solche Menschen gab, *nicht* zurückkehren sollen?"

Meine Damen und Herren, ich höre Sie sagen: „Das ist ja alles gut und schön – aber das waren ja nur die Ausnahmen – Ausnahmen von der Regel, und in der Regel waren die Leute doch nur Opportunisten – sie hätten Widerstand leisten müssen." Meine Damen und Herren, Sie haben recht; aber bedenken Sie, Widerstand setzt doch Heroismus voraus, und Heroismus darf man meiner Ansicht nach nur von einem einzigen Menschen verlangen, und das ist – man selbst! Und wer da sagt, man hätte sich lieber einsperren lassen sollen als daß man sich mit den Nazis arrangiert, der dürfte das eigentlich nur dann sagen, wenn er für seine eigene Person unter Beweis gestellt hat, daß *er* es *vorgezogen* hatte, sich ins Konzentrationslager stecken zu lassen, und siehe da: diejenigen, die in den Konzentrationslagern *waren*, urteilen im allgemeinen viel milder über die Opportunisten, milder als diejenigen, die sich währenddessen im Ausland aufhielten. Ganz zu schweigen von der jungen Generation – wie soll die sich vorstellen können, wie die Leute gebangt und gezittert haben um ihre Freiheit, ja um ihr Leben und nicht zuletzt um das Schicksal ihrer Familie, für die sie immerhin die Verantwortung getragen haben. *Nur um so mehr* müssen wir diejenigen bewundern, die es gewagt haben, sich der Widerstandsbewegung anzuschließen. (Ich gedenke da meines Freundes Gsur, der wegen Wehrmachtzersetzung zum Tod verurteilt und mit dem Fallbeil hingerichtet wurde.)

Der Nationalsozialismus hat den Rassenwahn aufgebracht. In Wirklichkeit gibt es nur zwei Menschenrassen, nämlich die „Rasse" der anständigen Menschen und die „Rasse" der unanständigen Menschen. Und die „Rassen*trennung*" verläuft quer durch alle Nationen und innerhalb jeder einzelnen Nation quer durch alle Parteien. Sogar in den Konzentrationslagern ist man hie und da auf einen halbwegs anständigen Kerl unter den SS-Männern gestoßen – genauso wie auf den einen oder anderen Falotten und Halunken unter den Häftlingen. Ganz zu schweigen von den Capos. Daß die anständigen Menschen in der Minorität gewesen sind und voraussichtlich auch bleiben werden – damit müssen wir uns abfinden. Gefahr droht erst dann, wenn ein politisches System die Unanständigen, also die negative Auslese einer Nation, an die Oberfläche schwemmt. Dagegen ist aber keine Nation gefeit, und in diesem Sinne ist auch jede Nation grundsätzlich holocaustfähig! Dafür sprechen nicht zuletzt die Aufsehen erregenden Ergebnisse wissenschaftlicher Forschungen auf dem Gebiete der Psychologie-Forschungen, die wir einem Amerikaner verdanken. Sie sind unter der Bezeichnung „Milgram-Experiment" in die Geschichte eingegangen.

Wollten wir nur aus alledem die politischen Konsequenzen ziehen, sollten wir davon ausgehen, daß es im Grunde nur zwei Stile von Politik gibt oder vielleicht besser gesagt, nur zwei Typen von Politikern: die einen sind nämlich diejenigen, die da glauben, der Zweck heiligt die Mittel, und zwar jedes Mittel, wenngleich es Mittel gibt, die selbst den heiligsten Zweck zu entweihen vermöchten. Und es ist *dieser* Typus von Politikern, dem ich zutraue, trotz des Lärms um das Jahr 1988 die Stimme der Vernunft zu hören und die Forderung des Tages, um nicht zu sagen des Jahrestages, darin zu sehen, daß alle, die guten Willens sind, einander die Hände entgegenstrecken, hinweg über alle Gräber, hinweg über alle Gräben. Ich danke Ihnen für Ihre Aufmerksamkeit.

ROMAN BRANDSTAETTER, einer der bekanntesten und geehrtesten polnischen katholischen Schriftsteller und Poeten unserer Zeit, vielfach ausgezeichnet, zuletzt mit dem Gottfried Herder Preis 1987 an der Akademie der Wissenschaften in Wien, schrieb im Jahre 1964 das nachstehende Bekenntnis. Es wurde zum ersten Mal im Marienheiligtum Tschenstochau in Anwesenheit von Kardinal Wyszynski vorgetragen. Die anwesenden Pilger brachen in Beifall aus und riefen tiefbewegt: Wir verzeihen! Wir verzeihen! Wir verzeihen!

IN HAMBURG

An einem Tag in Hamburg
bedrückt mich Mißtrauen –

Viele Erinnerungen
hab ich aufzuopfern,
Viele.

Die Erinnerungen an das ermordete Lächeln
meiner Mutter,
Dir, Gott, opfere ich sie auf.

Die Erinnerung an die goldene Feder
meines Freundes,
der bei Wilna erschossen wurde
opfere ich auf –

Die Erinnerung an mein Haus,
das bis zum Fundament zerstört wurde,
opfere ich auf
der Erde meiner Heimat.

An einem Tag in Hamburg,
durchweht von herber Brise,

besuchte ich Cafés,
Kaufhäuser
und Theater.

Und ich verzeihe
diesem grauhaarigen Herrn,
der im Café sitzt
und seinen Kaffee in aller Ruhe trinkt,
verzeih ich
den Tod meiner Eltern.

Diesem Inhaber
des Tabakladens,
der mir eine Pfeife verkauft,
verzeihe ich
den Tod meines Freundes.

Diesem Platzanweiser,
von dem ich das Programm gekauft,
verzeihe ich
die Zerstörung meines Hauses.

Bist du unschuldig,
verzeih mir mein Mißtrauen
und meine Trauer, die mich bedrücken.

Verzeih mir,
du grauhaariger Herr im Café,
du Inhaber des Tabakladens,
du Platzanweiser.
Hast du das Lächeln meiner Mutter ermordet,
meinen Vater gefoltert,
meinen Freund erschossen,
mein Haus zerstört,
möge das Blut meines Geschlechtes
dennoch nicht über dich kommen.

Über keinen
möge das Blut kommen –
über keinen

(Übersetzt aus dem Polnischen von Alfred Buttlar-Moscon)

Marta Budnik
Nakło

ICH BETE DAFÜR, DIESE MENSCHEN NOCH EINMAL TREFFEN ZU KÖNNEN

Während des Zweiten Weltkrieges wohnte ich in Nakło, in der Półwiejska-Str. Hier lebten auch viele Deutsche. Bei einem dieser Deutschen, Erenc Tetzaff, arbeitete ich als Haushaltshilfe. Dieser Deutsche sowie seine Brüder halfen vielen polnischen Familien, die schwere Zeit der deutschen Besatzung zu überstehen. Er behandelte grundsätzlich alle Menschen gleich und fragte nie nach ihrer Nationalität. In Not konnte jeder auf seine Hilfe rechnen. Er versteckte öfters im Keller seines Hauses Polen und Juden. Ich hörte ihn sagen, daß Hitler diesen Krieg verliere, und daß er alle Gefangenen freilassen würde, wenn dies in seiner Macht läge. Tetzaff wurde von vielen seiner deutschen Freunde gewarnt, daß er einmal den Tod aus der Hand der Polen finden wird. Weder er selbst noch seine Brüder glaubten es aber.

Nach dem Krieg reisten die Brüder Erenc, Fritz und Arnold Tetzaff nach Deutschland aus, wobei ihnen Polen behilflich waren, indem sie sich für die Brüder Tetzaff verwendeten. Ich weiß nicht, ob Tetzaffs noch leben. Oft bete ich zur Muttergottes dafür, daß ich sie noch einmal treffen möge, um ihnen dafür zu danken, was sie für uns Polen getan haben.

Jan Byczkowski O. M.
Gdynia

HEILIGEN KANN MAN UNTER ANDEREM AUCH IN EINEM BESATZUNGSBÜRO BEGEGNEN

Beim Ausbruch des Zweiten Weltkrieges war ich gerade mit der zweiten Klasse Grundschule fertig. Die Stadt Krakau hatte unter den Folgen des Krieges relativ wenig zu leiden. Es fehlte zwar an allem, man lernte den Hunger kennen, wir haben gefroren und kämpften dauernd gegen unzählige Schwierigkeiten, die der Alltag mit sich brachte. Dennoch gelang es mir ohne größere Probleme die siebente Klasse der Grundschule und somit den Abschluß zu schaffen.

Erst dann wurde ich vor eine unüberwindbare Hürde gestellt. Seit meiner Kindheit träumte ich davon, Missionar zu werden, weite Reisen zu unternehmen und unter den Afrikanern den Glauben zu verkünden. Bevor ich aber das Theologiestudium aufnehmen konnte, mußte ich ein Gymnasium abgeschlossen haben, was grundsätzlich nicht möglich war. Im Generalgouvernement waren von der deutschen Besatzungsmacht alle polnischen Gymnasien und Hochschulen geschlossen und verboten worden. Auch wenn ich auf mein Schulzeugnis recht stolz sein durfte, hatte ich keinen Nutzen davon.

Es war auch zwecklos, sich nach einer Arbeit umzusehen. Ich war noch zu jung, und Arbeitsplätze waren ohnedies sehr knapp, weil viele ältere Jahrgänge krampfhaft nach Arbeit in einer „kriegswichtigen Firma" suchten, um sich vor der Zwangsverschickung nach Deutschland zu retten.

So blieb ich zu Hause, half den Eltern und hütete Ziegen auf dem Brachland, welches sich auf dem Gelände einer längst aufgelassenen Ziegelei befand.

Eines Tages überraschte mich die Vorladung zum Arbeitsamt. Das hatte nichts Gutes zu bedeuten, eine Zwangsverschickung nach Deutschland war das nächstliegende. Die Stimmung in der Familie sank auf den Tiefpunkt, die Mutter lief den ganzen Tag mit verweinten Augen herum.

Ich fand mich zu der festgesetzen Zeit auf dem Arbeitsamt ein.

Ein polnisch sprechender Beamter überprüfte meine Zeugnisse und fragte mich, was ich zu tun gedächte. Er wirkte nicht unmenschlich, so sagte ich ihm offen heraus, daß ich Priester werden möchte.

„Das ist unmöglich", antwortete er, „du kommst erst gar nicht aufs Gymnasium, da ja alle polnischen Gymnasien geschlossen sind."

„Dann will ich eben erst einmal meinen Eltern helfen, bis sich für mich eine Beschäftigung findet."

Er schwieg eine Weile, ganz offenbar mit seinen Gedanken beschäftigt und verblüffte mich mit der folgenden Frage:

„Sind dir die Redemptoristen ein Begriff?"

„Aber selbstverständlich," sagte ich, „ihr Kloster und ihre Kirche stehen doch in Podgórze (Stadtteil Krakaus), da gehe ich öfters hin."

„Dann melde dich unverzüglich bei ihnen, sie können dich gebrauchen und sie helfen dir auch, deine Träume zu verwirklichen und weiterzulernen."

„Vielen Dank", sagte ich und wollte schleunigst verschwinden, der Beamte hielt mich aber noch zurück und sagte: „Du weißt, daß polnische Gymnasien geschlossen sind, lernst du weiter, so kannst du dir Schwierigkeiten einhandeln."

Er reichte mir also noch eine reichlich bestempelte Arbeitskarte über den Tisch, aus der hervorging, daß ich in einer deutschen Firma angestellt sei. Er belehrte mich dabei, daß ich mich damit im Notfall ausweisen soll, dies könnte lebenswichtig für mich sein. Er schärfte mir zugleich auch ein, daß ich unter keinen Umständen verraten dürfe, wie ich zu dieser Arbeitskarte gekommen war. Mir wurde nach und nach klar, daß auch er sein Leben aufs Spiel setzte, indem er mir den Weg zum Priestertum ebnete. Zu jener Zeit führten die Redemptoristen im Untergrund illegal ein Gymnasium. Ich meldete mich bei ihnen und nach einer routinemäßigen Überprüfung meiner Redlichkeit wurde ich aufgenommen. Ich kam nie dahinter, woher der deutsche Beamte von dem illegalen Gymnasium erfahren hatte. Ich habe meinerseits dem Direktor unseres Gymnasiums, Pater Stanisław Solarz, über mein Abenteuer auf dem Arbeitsamt genau berichtet, und ich weiß, daß dieser bemüht war, festzustellen, wer nun dieser Beamte war, leider ohne Erfolg.

Nachdem Krakau 1945 befreit worden war, durfte in unserem Gymnasium wieder legal unterrichtet werden, und ich konnte weiterlernen. Nach dem Abitur trat ich in den Orden der Redemptoristen ein und wurde am 19. 6. 1955 zum Priester geweiht. Seit meiner Priesterweihe sehe ich es als meine Pflicht an, an jedem Jahrestag eine Messe für jene zu lesen, die mir auf dem Weg zum Priestertum behilflich waren, diesen deutschen Beamten mit eingeschlossen, weil er dabei sein Leben aufs Spiel gesetzt hatte.

Halina Czermińska-Żelaźniewiczowa
Deckname „Urszula"
Wrocław

EINE EPISODE AUS DEM WARSCHAUER AUFSTAND

Ich bin mir nicht sicher, ob meine Erinnerung an einen kurzen Zwischenfall im Zweiten Weltkrieg als Beweis dafür angeführt werden kann, daß auch in dieser schwierigen Zeit ein Deutscher spontan bereit war, einer Polin das Leben zu retten.

Jener Mann, der mir, einem ganz jungen Mädchen, einer Pfadfinderin, damals das Leben gerettet hat, hatte jedenfalls die Uniform eines deutschen Wehrmachtsoldaten an. Ich weiß nicht, ob er ein Deutscher war, er ging aber mit seiner Tat das größte Risiko ein.

Es waren die letzten Tage des Warschauer Aufstandes – der 19. und 20. September 1944. Dem Aufstand schlug mit aller Grausamkeit die letzte Stunde. Die Deutschen nahmen den Stadtteil Czerniaków ein. Sie brachten dort das Krankenhaus unter ihre Kontrolle. In einem Häuserkomplex in der Wilanowska-Str. 18/20 und in der Okrąg-Str. 2 hatte man im Keller die Trennwände durchbrochen, um so ein Netz von miteinander verbundenen Räumen zu schaffen, in denen ein von Pfadfindern geführtes Krankenhaus für Aufständische eingerichtet wurde. Zwei mutige Ärzte kümmerten sich um die Kranken: Dr. Głogowski, der bald selbst tödlich verletzt wurde, und Frau Dr. Konstancja Semadeniowa, die ihren siebenjährigen Sohn bei sich hatte. In diesen Kellerräumen fand neben den Kranken auch eine große Anzahl an Zivilisten Zuflucht. Am 19. September bekamen wir spät abends die nicht ganz zuverlässige Nachricht, daß das Czerniakower Krankenhaus von den Wlassow-Soldaten erobert worden sei. Über die Folgen davon brauchte uns keiner weiter aufzuklären. Eine allgemeine Aufregung griff um sich. Oberst Radosław war bereits mit seinen Soldaten in den Stadtteil Mokotów abgezogen. In Czerniaków hielt sich im letzten Kampf nur noch ein Brückenkopf. In der Nacht zum 20. September sollten die Kranken und ein Teil der Aufständischen von den polnischen Soldaten des

Generals Berling mit Schlauchbooten auf das gegenüberliegende Weichselufer übergesetzt werden.

Ich war Melderin im Stab von Oberst Radosław gewesen und befand mich im Krankenhaus nicht wegen einer Verletzung, sondern weil mich eine lächerliche Kinderkrankheit (Scharlach) erwischt hatte. Am 19. September ging es mir bereits relativ gut. Ich konnte mich wieder nützlich machen. Meine Gedanken kreisten aber nur noch um die Idee, auch irgendwie auf das andere Ufer zu gelangen. Der Stabskaplan, der Jesuitenpater Paweł (Józef Warszawski), nahm in einem engen Kellergang die Beichte entgegen von jenen, die auf das andere Ufer übergesetzt werden sollten. Ich hatte Mühe, mich bis zu ihm vorzudrängen. Ich hatte es aber geschafft und stellte ihm gleich die Frage: „Was halten Sie von dieser Überfahrt?" Er gab mir eine knappe Antwort: „Es ist Wahnsinn. Dort ist die Hölle los. Die gesamte deutsche Artillerie hat sich auf das andere Ufer eingeschossen und durchwühlt es. Ich hab es selbst gesehen. Bleib du lieber hier, ich bleibe auch. Wir werden noch gebraucht. Der Krieg ist noch nicht zu Ende. Streif nur schnell deine Uniform ab."

Mit diesem Ratschlag wurde ich vor ein schwieriges Dilemma gestellt. Ich hatte, wie meine ganze Generation, eine „romantische" Auffassung von Ehre eingebleut bekommen, die es einem verbietet, sich von der Uniform zu trennen. Schweren Herzens streifte ich die Feldjacke ab. Ich wußte zugleich, daß ich meine Identität – mit oder ohne Feldjacke – nicht verleugnen werde, auch wenn ich angezeigt oder enttarnt würde. Das einzige, was ich versuchte, war, nicht besonders aufzufallen. Dies hat mir Pater Paweł, selbst ein tollkühner Mann, dringend geraten. Meine Feldjacke bekam eine junge Ärztin oder Krankenschwester, die rüber wollte. Jene, die zu den Sowjets auf das andere Ufer hinübergebracht werden sollten, wollten unbedingt in ihren Uniformen bleiben. Nicht alle, die blieben, haben sich wie ich getarnt. Die Verwundeten lagen in ihren Uniformen, in Feldmützen mit Rangabzeichen und Orden auf dem Boden, unübersehbar als Kämpfer und nicht als Zivilbevölkerung. Überlebt haben nur ganz wenige. Am 20. September hörten wir am Morgen in der Ferne der weit verzweigten Kellerräume den ersten Schuß. Die Deutschen waren schon oben auf dem Hof. Bald hörten wir Schreie in gebrochenem Polnisch: „Mutter, Schwester, Frau – alle raus!" Dies galt allen Frauen. Wir formierten uns zu einer Abordnung: eine junge Ärztin, die Deutsch sprach, einige Pfadfinderinnen, Sanitätsschwestern und ich als „Kranke". Wir traten mit einer „Rot- Kreuz-Fahne," die wir noch in der Nacht zusammengenäht hatten, in den Hof hinaus. Wir ergaben uns nicht, es war eine Rot-Kreuz- Fahne, keine weiße.

Da erst ging die Hölle richtig los. Im Treppenhaus standen einige schon ältere und abgemagerte deutsche Wehrmachtsoldaten. Vielleicht waren es Deutsche aus Schlesien oder Pommern, vielleicht auch verdeutschte Polen. Sie haben jedenfalls auf Polnisch geschimpft. Es gab aber auch die SS, vorwiegend Offiziere. Die Leichtverletzten wurden aus dem Keller heraufgezerrt. Im Erdgeschoß krachten Salven, eine nach der anderen. Wir gerieten in die dort angesammelte Menge, darunter standen Melderinnen, Aufständische mit ihrer weiß-roten Armbinde, und einige hatten sie abgestreift. In der Menge wütete ein junger SS-Offizier, so elegant gekleidet, als ob er nie an der Front gewesen wäre. Neben mir stand eine junge Pfadfinderin, eine Sanitätsschwester. Ihr Deckname war „Chmiel", ein sehr nettes Mädchen, vielleicht fünfzehnjährig. Wir hielten uns an der Hand. Dem SS-Offizier wurden immer neue Opfer aus dieser Menschenmenge vorgeführt. Einige holte er sich selbst raus und schoß aus seiner Maschinenpistole wild auf sie, – in den Bauch, in den Kopf oder ins Ohr. Vor mir fiel eine bildhübsche, schlanke Melderin um, sie hatte allerdings ihre Feldjacke nicht abgestreift. Sie hatte so lange schwarze Zöpfe ..., eine Reihe von Schüssen aus der MP in den Bauch warf sie zu Boden. Ein kleiner Junge mit der Armbinde eines Melders wurde ebenfalls niedergeschossen. Vor kurzem hatten wir noch gemeinsam an einem Herd gebaut, auf dem wir Klöße für die Verwundeten und Kranken kochen wollten. Er hatte sich dagegen gewehrt, die Armbinde abzustreifen. Auch eine wohlbeleibte Frau, die mit uns im Keller war, wurde zu Boden geschossen. Dann waren wir dran. Ein Soldat zerrte uns beide vor. Wir zwinkerten uns Mut zu – es galt, Fassung zu bewahren. Wir wurden an eine Ziegelmauer gestellt, die mitten im Hof stand. Da standen auch schon andere und es wurden immer neue geholt. Der SS-Mann schoß ununterbrochen auf die Menschen. Plötzlich tat sich unter den Soldaten etwas. Ganz offenbar richteten sie sich zur Massenerschießung her. Die Menge bewahrte aber absolute Ruhe.

Wir zwei standen ebenfalls still, fast am Ende der Reihe. Plötzlich stürzte ein großgewachsener deutscher Soldat auf uns zu, mit einem tief in die Augen gedrückten Helm auf dem Kopf. Ich erblickte nur die untere Mundpartie von ihm. Er hatte volle, bebende Lippen und große, schneeweiße Zähne. Er machte auf uns den Eindruck, als ob er unheimlich wütend gewesen sei. Heute denke ich mir – er war sehr angespannt. Er riß uns beide brutal aus der Reihe und trieb uns recht unsanft in die andere Hofecke. Ohne daß wir uns darüber verständigten, erlangten wir beide die Gewißheit, daß jetzt ein Kopfschuß von hinten erfolgen wird. Dies war ein altes Spiel der Soldaten. Wir gingen langsam voran, kein Versuch, die Flucht zu ergreifen. Im Rücken krachten ununterbrochen die MP. Wir kamen aber ungehindert immer weiter, stiegen über die Trümmer und Glasscherben hinweg bis zu einer Haustür. In dem Hauseingang standen einige Menschen, vielleicht errettet wie wir . Ein deutscher Soldat suchte uns ab. Bei mir fand er nichts, ich hatte im Büstenhalter weder Kreuz noch Geld, damals vollkommen überflüssig. Oft dachte man aber nicht mehr daran und hatte es mit.

„Chmiel" hieß mit ihrem vollen Namen Nina Chmieli ska und war Tochter eines Warschauer Anwalts. Durch einen Zufall kamen wir ein Jahr später in Milanówek wieder zusammen. Dann schieden sich unsere Wege. Ich habe noch auf Umwegen erfahren, daß Nina in einen Orden eingetreten war. Ich bin „in der Welt" geblieben.

„Ćwik"
Name und Vorname der Redaktion bekannt

UNTER DEN BÖSEN FANDEN SICH AUCH GUTE

Im Frühjahr 1944 wurde ich im Konzentrationslager Buchenwald einem Sonderkommando zugeteilt, dessen Aufgabe es war, besonders schwere Arbeiten zu verrichten. Wir wurden u.a. zur Enttrümmerung der von schweren Bombenangriffen betroffenen Gebiete eingesetzt. Im Spätfrühling des Jahres 1944 wurden wir in Güterwaggons nach Köln gebracht. Ich arbeitete dort mit anderen politischen Häftlingen einige Wochen lang. Die Gestapo-Leute, die uns zu beaufsichtigen hatten, behandelten uns grausam. Wir wurden oft geschlagen und in vielfacher Weise gequält. Es gab Fälle, daß Häftlinge wegen einer Belanglosigkeit aufgehängt wurden. Für eine Zeit lang wurde die Aufsicht über einige Kolonnen unseres Arbeitseinsatzkommandos, die im Hafen zur Güterlöschung eingesetzt wurden, der Ortspolizei übertragen. Die Arbeit im Hafen war sehr schwer, aber die Wachmannschaft, insbesondere einer der Aufsicht führenden Polizisten, der schon etwas älter war, zeigten sich menschlich im besten Sinne des Wortes. Sie gönnten uns längere Verschnaufpausen, vergriffen sich nie an uns und warnten uns stets rechtzeitig, wenn die Gestapo zur Inspektion erscheinen sollte. Der Wachmannschaft entging nicht, wie elend und hungrig wir waren, sie erbettelten bei den Kölnern Brotkarten für uns. Wir kamen nach der Arbeit mit Brot und anderen Lebensmitteln ins Lager zurück und teilten sie mit den Mitgefangenen. Unter den bösen Deutschen gab es also auch eine Reihe guter Menschen, die uns halfen, obgleich es für sie schlimme Folgen hätte haben können. Vergelt's ihnen Gott hundertfach!

Aus der Kölner Zeit habe ich noch ein anderes Beispiel menschlicher Güte in Erinnerung. Von dem Arbeitskommando wurden ein paar Häftlinge – u.a. ich – zur Arbeit ins Hotel am Kölner Dom abkommandiert. Dieses Hotel war für die Gestapo und die Wehrmacht bestimmt. Wir wurden von einem Gestapo-Menschen beaufsichtigt, dem es absolut fern lag, Verständnis für unsere Lage zu zeigen. Ganz im Gegenteil, er paßte peinlich genau auf, daß nicht sonst jemand auf diese Idee verfiel. Dennoch fanden sich auch dort Menschen, die sich hilfsbereit zeigten. Unter den Hotelangestellten gab es eine Deutsche, die trotz der seitens der Gestapo mehrfach ausgesprochenen Warnung mich täglich mit einem Glas Milch und einer Schnitte Brot oder mit einem Brötchen verköstigte, und dies die ganzen zwei Wochen lang, die ich in diesem Hotel gearbeitet hatte.

Es kam auch vor, daß die Wehrmachtsoldaten uns ein Stück Brot oder andere Lebensmittel heimlich zusteckten. Es gab, wie gesagt, unter den zahlreichen bösen Menschen auch einige wenige gute.

Anna Domaradzka
Płock

ALFRED WALLNER

Dies hat sich in Płock während der deutschen Besatzungszeit zugetragen. Ich war mit einer Gruppe polnischer Männer und Frauen, die von der Zwangsaussiedlung verschont geblieben waren, in der Grundstücksgesellschaft angestellt. Es war keine schwierige Arbeit, zumal auf viele Menschen verteilt, dennoch nahm sie uns täglich zehn Stunden lang in Anspruch. Inmitten der täglichen Hoffnungslosigkeit und der stets präsenten Angst leuchtete die Gestalt von Alfred Wallner, dem Hauptbuchhalter, immer aufs neue auf, den das Schicksal mit seiner ganzen Familie nach Płock verschlagen hatte. Er konnte kein Polnisch, unterhielt sich aber mit uns gern auf russisch. Mit der Zeit lernte er dann doch ein paar Wendungen auf polnisch. In diesen schwierigen Jahren hatte er für uns sehr viel Herz und Freundlichkeit. Wallner war die damalige Gewaltherrschaft zutiefst zuwider, und er äußerte uns gegenüber mehrfach die Meinung, daß „Hitler nie siegen kann, weil er die Menschen verachtet". Wallner hielt in uns die Hoffnung auf ein baldiges Ende des Krieges aufrecht. Er forderte uns, wußte aber auch unsere Arbeit zu schätzen. Wir wurden jedes halbe Jahr befördert. Eines Tages merkte er, daß ich heimlich in der Schublade fummelte, und ohne in Zorn zu geraten, billigte er meine Beschäftigung – das Malen von Namenstagskarten, allerdings unter der Bedingung, daß ich auch sonst mein Arbeitspensum erfüllte. Er war mein erster Kunde, und bezahlte mir die Karten mit 2 RM (Reichsmark) pro Stück.

Falls wir uns beim Reden vergessen hatten, warnte er uns mit seinem fast schon sprichwörtlich gewordenen Spruch: „Seid still, Kinder, die Wände haben Ohren" („Ściany mają uszy"). Oft sah er mich über die Brillengläser an, um zu kontrollieren, was die „Kleine" (so nannte er mich) zum Frühstück ißt, ob es schon wieder die „schwarze Knete" mit „Marmelade aus Holzspänen" ist. Nicht selten bot er mir sein Frühstücksbrot an mit Quark oder einer kleinen „Einlage".

Im Herbst 1943 wurde ich schwer nierenkrank. Nach einigen Monaten, die ich im Bett bei schlechter Ernährung verbracht hatte, trat bei mir ein so großer Kräfteschwund auf, daß ich mich nicht einmal in der Wohnung selbständig bewegen konnte. Die Besatzungsmacht weigerte sich aber, meine Krankschreibung zu verlängern, so daß ich mich nach vier Monaten gezwungen sah, ins Büro zurückzukehren. Ich war verzweifelt, weil ich nicht die Kraft hatte, mich bis ins Büro zu schleppen. Herr Wallner wußte dem aber abzuhelfen. Er ließ mich jeden Morgen durch meine Arbeitskollegen abholen, die mich auf ihren – zu einem kleinen Tragsessel verschränkten Armen – in unser, übrigens nicht sehr weit entferntes Büro getragen haben. Da ich in den ersten Tagen nach einer Stunde am Schreibtisch ohnmächtig wurde, ließ er mich regelmäßig wieder zurück nach Hause tragen. Dies ging ein paar Wochen lang so, bis sich mein Körper von der Krankheit ein bißchen erholt hatte. Auch dann zeigte Wallner weiterhin großes Entgegenkommen und erlaubte mir, jeweils zwei Stunden später im Büro zu erscheinen – und dies bis Kriegsende. Er ging damit ein großes Risiko ein, denn seine Vorgesetzten waren zu Polen sehr feindlich eingestellt. Ich habe Grund anzunehmen, daß diese Entscheidung sein unmittelbarer Vorgesetzter Roschke, ein Wolhynien-Deutscher gebilligt hatte, für den ich dann später bei seinem Entnazifizierungsverfahren als Zeugin auftrat. Einige Monate später, als ich nach der Krankheit meine Arbeit wieder aufgenommen hatte, machte mir Wallner den Vorschlag, einen Erholungsurlaub in Anspruch zu nehmen, was mich unheimlich überraschte, weil mir klar war, daß Polen nichts dergleichen zustand. Dadurch konnte ich mich aber viel schneller erholen.

Wenn jemand von uns Zahnschmerzen hatte, wurde er von Wallner mit einem Empfehlungsbrief an seine Schwester Frau Klein, die Zahnärztin war, verwiesen. Es war der Fürsprache Wallners zu verdanken, daß eine meiner Kolleginnen nach ihrer Übersiedlung mit der ganzen Familie eine warme und trockene Wohnung zugewiesen bekam (ihr Vater war bereits TB-krank).

Im Herbst 1943 startete die Gestapo eine große, gegen Angehörige der polnischen Untergrundarmee (AK) gerichtete Verhaftungswelle. Eines Tages verschwand ein Kollege aus unserem Büro, der von Wallner gewarnt worden war, daß die Gestapo telefonisch nach ihm fragte. So konnten noch drei andere im Untergrund tätige Arbeitskollegen der Verhaftung entgehen.

Es kam der Januar 1945. Die Städte waren schweren Bombenangriffen ausgesetzt, die deutsche Bevölkerung ergriff panisch die Flucht. In unseren Herzen erstarkte die Hoffnung auf eine bessere Zukunft, Wallner konnte bei dem Gedanken, was ihn erwartete und eingedenk des unweigerlichen Aufbruchs ins Ungewisse kaum Tränen unterdrücken. Er bat mich, für ihn kleine Koffertäfelchen mit seinem Namen anzufertigen. Deshalb prägte sich mir sein Name so tief ein. Dies lag nicht nur daran, daß ich seinen Namen dreißigmal mit Tusche auf Täfelchen niedergeschrieben hatte, sondern hauptsächlich an seiner Freundlichkeit, die mir zuteil wurde. Ich bin dem Schicksal dankbar dafür, daß ich in jener Zeit, in der das Böse allmächtig wütete, diesem Menschen begegnen durfte. Mit dieser Niederschrift will ich meine Dankesschuld gegenüber Wallner wenigstens zu einem geringen Teil abtragen. Ich bete ständig für seine Seele, denn höchstwahrscheinlich weilt er nicht mehr unter den Lebenden, weil er damals schon ein älterer Herr war.

Oskar Drechsler
Tarnowskie Góry

DR. HAGENOV

Ende März 1940 erschien bei mir in Piotrkowice an der Olza Dr. Hagenov, Leiter des Veterinärdienstes in Teschen (Cieszyn). Dies war unsere erste und einzige Begegnung. Er war ungefähr gleich alt wie ich (etwas über dreißig) und trug ein NSDAP-Parteiabzeichen am linken Revers. Es überraschte mich sehr, als der ungebetene Gast, anstatt mich barsch anzufahren, was ja zu erwarten war, ein recht kultiviertes Gespräch über berufliche Fragen begann. Dabei machte er mir verblümte Vorwürfe darüber, daß ich als Absolvent der Wiener Veterinärhochschule auf die mir mehrfach zugeschickten Aufforderungen zur Teilnahme am Veterinärdienst nicht reagiert hatte. Er war ganz offensichtlich gut unterrichtet darüber, daß ich mich auf meinem „Posten" als Pole deklarierte und meinen Dienst als Pole versah. Er teilte mir mit, daß ich an einer Sitzung der Tierärzte in Teschen teilzunehmen habe, und daß er mich am liebsten gleich mitnehmen würde. Nolens volens bestieg ich seinen Wagen. In Ligota bei Teschen verlief die Straße in einem Abschnitt so, daß ein am Straßenrand stehendes Häuschen dem Autofahrer völlig die Sicht verdeckte, und dies vor einer Kurve. Er regte sich darüber auf und erklärte, daß derart rückständige Rücksichtsnahmen auf Bauernhäuser beim Straßenbau im Reich nicht denkbar wären, denn im Reich werde alles mit Bedacht und planmäßig ausgeführt. Anschließend fügte er hinzu, daß Hitler deshalb den Krieg auch gewinnen werde. Darauf erwiderte ich seelenruhig, daß Hitler den Krieg bereits verloren habe, weil es überall um uns herum viel zu viel menschliches Leid gebe. Er verfiel ins Schweigen, und in mir stieg erst dann die Angst hoch. Ich war überzeugt, daß er mich demnächst bei der Gestapo anzeigen werde. Nichts dergleichen geschah. Er führte mich in den Sitzungsraum, dann teilte er mir Skoczów mit der Umgebung als Bereich für meine Tätigkeit zu. Dies mag für einen jungen Tierarzt eine ideale Lösung gewesen sein. Mir widerstrebte es jedoch, in den Dienst der Besatzungsmacht zu treten. Einige Tage später wurde ich bei einer Razzia in Piotrków gefangen und nach Dachau verschleppt. Nach einigen Wochen Aufenthalt in Dachau wurde ich bei einer Selektion der Häftlinge in das Konzentrationslager nach Gusen überwiesen. Als ich mit Hungerödemen fast am Ende meiner Kräfte war, gelang es mir, meiner Schwester einen Brief zukommen zu lassen, in dem ich ihr mitteilte, daß ich zwar gesund, aber wegen ihrer Krankheit sehr besorgt sei und ihr raten würde, sich in dieser Angelegenheit an Dr. Hagenov in Teschen zu wenden. Sie suchte ihn sofort auf und er intervenierte umgehend beim Gauleiter Bracht. Als Folge davon kam ich bald auf die Liste der zur Entlassung Vorgesehenen. Ich kehrte heim mit einigen anderen Schlesiern, die ebenfalls entlassen wurden. Im Zug zogen wir die Aufmerksamkeit einer Gruppe österreichischer Eisenbahner auf uns, sie versorgten uns sofort mit Brotkarten und wollten uns sogar noch Geld zustecken. In Wien, als es den Menschen klar wurde, daß wir frisch aus dem KZ entlassen worden waren, bekamen wir reichlich Brötchen.

Nach dem Krieg erreichte mich ein Brief aus Dresden, in dem mich Frau Hagenov bat, in dem anstehenden Entnazifizierungsverfahren für ihren Mann Zeugnis abzulegen. Dies tat ich unverzüglich, bin mir aber bis heute nicht sicher, ob mein Brief den Adressaten erreicht hat. Die Frage, ob der Mann, der mich damals vor dem sicheren Tod errettet hatte, auch tatsächlich die Entnazifizierungsurkunde bekommen hatte, nagt bis heute an mir. Ich konnte über sein weiteres Schicksal nichts mehr in Erfahrung bringen.

Stanisław Dryja-Wysocki
Warszawa

EDLE MENSCHEN AUS LAUTERBACH

Am 16. August 1944 trieben die Deutschen im besetzten Warschau 1500 Stadtbewohner zusammen – darunter Anlieger der Leszno-Str. von der Nummer 2 bis 28, die gesamte Belegschaft des Hotels „Bristol", sowie die Bewohner des Nachbarhauses. Sie alle wurden in Güterwaggons verfrachtet und mußten eine Reise ins Unbekannte antreten. Die nach dem Reiseziel befragten Eisenbahner zuckten nur mit den Achseln. Nach einigen Tagen großer Unsicherheit hielt der Transport in dem kleinen Bahnhof von Schramberg an. Die erschrockenen Passagiere bedrängten die Eisenbahner mit der Frage, wo es hier in der Nähe ein Konzentrationslager gibt. Sie bekamen darauf die beruhigende Antwort, daß es im weiten Umkreis keines gibt.

Kurz danach erschienen Deutsche, um sich einen Überblick darüber zu verschaffen, wer mit diesem Transport angekommen war. Die flüchtige Bestandsaufnahme ergab, daß 40 % der Angekommenen Kinder und alte Menschen waren, insgesamt aber 60 % als Arbeitskraft für die hiesige Fabrik nicht in Frage kommen. Die langen Debatten unter den Deutschen in Zivil unterbrach kurzerhand Dr. Helmut Junghans, Direktor der Uhrenfabrik „Junghans-Werke" und ordnete an, zunächst Kinder und ältere Menschen auf LKWs zu verladen und in das zweistöckige Gebäude der ehemaligen Kaserne zu bringen. Dort wurden die Familien untergebracht; Alleinstehende fanden Unterkunft in Schramberg und in der Umgebung. Bald zeigte es sich, daß die Deutschen nach Ankunft der Warschauer in Schramberg die Möglichkeit erwogen haben, sie weiter in das Konzentrationslager von Dachau zu schicken. Dagegen sprach sich der Werksdirektor Dr. Junghans aus, indem er sowohl dem Bürgermeister als auch dem zuständigen Offizier der Gestapo zusicherte, daß die Menschen zur Arbeit in seiner Fabrik angelernt werden könnten und daß für den Unterhalt der Arbeitsuntauglichen die Junghans-Werke aufkommen würden. Mit dieser Entscheidung wurde die angekommene Gruppe der Warschauer gerettet.

Drei Stunden nach Ankunft in Lauterbach wurde die erste Suppe ausgegeben, die von drei Köchen vom „Bristol"-Hotel – es waren dies Janiszewski, Wojciech Chojnowski und an den dritten Namen kann ich mich nicht mehr erinnern – aus Kartoffeln und Futterrüben zubereitet worden war. Des weiteren wurden uns Lebensmittelkarten für Brot, Fett (minimale Mengen) und für ein Stück Butter pro Monat für Kinder bis zum 12. Lebensjahr zugeteilt. Arbeitsfähige Menschen hatten sich am nächsten Tag im Werk zu melden, wo sie Arbeitskleidung sowie Holzpantinen und Essenmarken für eine Hauptmahlzeit in der Werkskantine bekamen. Sie arbeiteten mit Italienern, die von der SS in einem Nachtlokal in Mailand ausgehoben worden waren. Aus dem Lokal wurden sowohl die Gäste als auch die Bedienung entführt, und zwar in jener Kleidung, in der sie alle gerade dort waren: Damen mit einem tiefen Dekolleté sowie Herren im Smoking nahmen sich in unserer Gesellschaft besonders vornehm aus. In der gleichen Kantine aßen auch Franzosen, Belgier und Russen aus der Gegend um Kiew.

Die Arbeit in der Fabrik war nicht sehr schwer, weil Lauterbach seit September 1944 mehrere Male Ziel von Bombenangriffen der alliierten Luftwaffe war. Bei einem Bombenangriff wurde die Arbeit selbstredend unterbrochen, und alle Arbeiter wurden in die im Felsen gehauenen Gänge evakuiert. Ein Bombenangriff dauerte vier Stunden, darauf folgte eine Pause, und dann wurde der nächste Einsatz geflogen. Nur die Schicht von 22 Uhr bis 6 Uhr früh arbeitete ungestört. Während der Bombenangriffe gab die italienische Kapelle ein Konzert – Kammer- oder Tanzmusik –, um in Übung zu bleiben.

Nach sechs Wochen stellte der Arzt bei den polnischen Kindern Vitaminmangelerscheinungen fest. Mütter und Großmütter gerieten in Verzweiflung, bald konnte dem aber abgeholfen werden. Eine Deutsche, die keiner von uns kannte, brachte einmal in der Woche Butter, dann später kamen sie zu zweit. Es zeigte sich, daß es zwei Schwestern des römisch-katholischen Ortspfarrers Alfred Gold waren, die diese Hilfsaktion auf die Beine gestellt hatten. Sie verwiesen uns auch auf ihre Bekannte, Marta Hedwig, die Apothekerin in Schamberg, bei der wir Vitamine für Kinder erwerben konnten. Frau Hedwig riskierte viel, weil es unter Androhung der Freiheitsstrafe verboten war, Vitamine an Ausländer, insbesondere an Polen, zu verkaufen.

Wir haben auch große Hilfe von den Besitzern der in Lauterbach einzigen Bäckerei, Maria und Wilhelm King, erfahren. Die Polen durften nur 300g Brot pro Tag erstehen, Bäcker King „zauberte stets zusätzliches Mehl herbei", und seine Frau gab uns auf die 300g-Karten 800g Brot aus. Dies war erst gegen Ladenschluß möglich, wir sollten unser Brot erst dann holen, wenn keine Deutschen mehr im Laden waren.

Mein Bekannter W. S. kam auf der Flucht in die Schweiz über Lauterbach, ging am Abend an Kings Bäckerei vorbei, roch den Duft von frischem Gebäck, konnte nicht widerstehen, trat in den Laden ein und stellte sich an. Als er dran kam, verlangte er kein Brot, sondern trat wieder zurück an das Ende der Schlange und stellte sich von neuem an. Dies entging Frau Maria King nicht. Nachdem sie alle Kunden bedient hatte, schloß sie den Laden ab – da faßte W. S. den Mut und bat sie um ein Stück Brot. Maria King brach bei seinem Anblick in Tränen aus, holte ihn in die Wohnung, bot ihm ein Bad an und versorgte ihn mit frischer Wäsche. Dann servierte sie ihm zwei Teller Suppe. Beide Kings schlugen meinem Bekannten vor, daß er bei ihnen bis Kriegsende bleiben könne, er nahm jedoch dieses Angebot nicht an. Er bekam von diesen guten Menschen noch drei Laib Brot und ein Stück Wurst auf den Weg mit und zog weiter.

Pfarrer Alfred Gold war den Warschauern eine große Stütze. Er las oft die Messe in polnischen Intentionen und extra für die polnischen Zwangsarbeiter, er begleitete die Verstorbenen auf ihrem letzten Weg zum Ort der ewigen Ruhe. Er bestattete Michał Walewski, Borowski, den Angestellten vom Hotel „Bristol", Bolesława Szyman, die Frau eines Obersten der polnischen Streitkräfte und viele andere.

Am 21. April 1945 kam in Lauterbach eine Gruppe polnischer Verbindungsoffiziere der polnischen Streitkräfte im Westen an, die für Kontakte mit der UNRRA zuständig waren. Ihre Aufgabe war es, in der französischen Zone in Baden-Württemberg alle sich dort aufhaltenden Polen zusammenzusammeln und sie der Betreuung der UNRRA anzuvertrauen. Dieser Gruppe polnischer Offiziere stand Oberst Korczyński vor, Veteran der Kämpfe um Monte Cassino. Als er erfahren hatte, daß Helmut Junghans, der den Polen so viel geholfen hatte, von den französischen Streitkräften als Geisel gehalten wurde, intervenierte er sofort zu seinen Gunsten und erwirkte seine Freilassung.

Die polnischen Verbindungsoffiziere statteten auch Pfarrer Gold einen Besuch ab, um ihm für seine Herzlichkeit und Hilfsbereitschaft zu danken.

Als ich den Pfarrer einmal fragte, ob er keine Angst hatte, von den Nazis für seine – den Polen erwiesene Hilfe zur Rechenschaft gezogen zu werden, antwortete er mir: „Ich hatte Vertrauen zu meiner Gemeinde. Und wenn ich auch für die den Warschauern erwiesene Hilfe verhaftet worden wäre, wäre ich nicht der erste gewesen, der verfolgt wurde. Ihr Polen habt viel mehr Menschen verloren, darunter auch zahlreiche Priester. Ich habe als Priester lediglich meine Pflicht getan."

Wenn ich jetzt mit Menschen zusammenkomme, die damals mit mir nach Lauterbach zwangsverschickt worden waren, gedenken wir stets, auch noch nach so vielen Jahren, mit unverminderter Dankbarkeit jener Menschen, die uns damals geholfen hatten, denn diese Einstellung war unter den Deutschen beileibe nicht selbstverständlich.

Honorata Dunin
Przemyśl

„ICH DENKE NICHT DARAN, FÜR DEN FÜHRER ZU STERBEN"

Während des Zweiten Weltkrieges leitete ich unser Gut Kopytówka bei Kalwaria Zebrzydowska allein, weil mein Mann als Flieger in England kämpfte. Das Gebiet von Krakau war in vier Bezirke aufgeteilt, denen jeweils ein Bezirkslandwirt vorstand, der über alle größeren landwirtschaftlichen Betriebe des Bezirkes eine Kontrollgewalt ausübte. Wir hatten Glück mit unserem Bezirkslandwirt, Herrn von Henke, der selbst ein Gut in der Nähe von Rostock besaß. Er war ein sehr fachkundiger Landwirt und darüber hinaus ein ehrlicher Mensch. Als er uns das erste Mal aufgesucht hatte, begrüßte er uns mit den Worten: „Glaubt nur nicht, daß ich aus eigenem Willen hierher gekommen bin. Ich hatte zur Wahl, entweder an die Front geschickt zu werden oder diesen Posten zu übernehmen. Ich kam hierher, weil ich nicht die geringste Lust habe, für den Führer zu sterben. Ich nahm mir vor, wenigstens zu einem kleinen Teil wiedergutzumachen, was Euch meine Landsleute an Leid zugefügt hatten. Wir huldigen den gleichen christlichen Idealen, der Ritterlichkeit und der Hochachtung der Frau, und wir lassen uns nicht durch einen Despoten entzweien".

Er beschwor uns mehrfach, nicht zu glauben, daß alle Deutschen böse sind. Er pflegte zu sagen: „Siebzig Prozent der Bevölkerung ist gegen dieses Regime und leidet unter ihm wie Ihr". Er war verzweifelt darüber, daß ein Volk, aus dem Goethe hervorgegangen war, und das sonst einen großen Beitrag zur europäischen Kultur geleistet hatte, so tief gefallen war.

Sein Tun und Reden stimmten überein. Er warnte uns immer, wenn ein Besuch weniger freundlicher Beamter drohte, vor allen Dingen aber vor Kontrollen der Finanzbehörde, denn jede Unstimmigkeit in der Buchführung (und man mußte ein bißchen schwindeln, um selbst leben zu können und anderen zu helfen) hätte uns eine Verschleppung nach Auschwitz kosten können. Er war stets bereit, nach seinen Möglichkeiten zu helfen. Seine Kollegen staunten darüber, daß er ohne Waffe zu reisen pflegte. Er antwortete aber darauf, daß er vor Polen keine Angst habe. Als er einmal von Partisanen der polnischen Untergrundarmee (AK) eingeschlossen wurde, wurde er sofort freundlich begrüßt und freigelassen, nachdem sie erkannt hatten, daß dies der Bezirkslandwirt von Henke war.

Es kam auch einmal die Zeit der Zwangsabgaben. Von Henke wollte beweisen, daß seine Behandlung der Polen, die von den meisten ausgelacht wurde, sich doch bewährt hatte. Er bat uns, mitzumachen und die vorgeschriebenen Mengen pünktlich abzuliefern. Sein Bezirk konnte tatsächlich die besten Ergebnisse vorweisen.

Einmal erschien er in Begleitung seiner Frau, einer netten, höflichen und sympathischen Dame, an der nichts von dem Hochmut der Besatzer zu spüren war. Es war ihr vielmehr anzumerken, daß sie sich schämte, in dieser Eigenschaft uns gegenüber auftreten zu müssen. Als sie von mir Abschied nahm, wünschte sie mir und meiner Schwester, deren Verlobter ebenfalls für England kämpfte, daß der Krieg für uns ein gutes Ende nehmen möge. Leider sind sowohl mein Mann als auch der Verlobte meiner Schwester in England gefallen. Herrn von Henke habe ich in Erinnerung als einen der edelsten Menschen, die ich gekannt habe.

Lech Dygus
Niemce

„DER HERR NIMMT DIR DIE KUH NICHT WEG"

Die folgende Begebenheit trug sich in der zweiten Jahreshälfte 1943 zu. Wir wohnten auf dem Lande. Meine Schwester war damals eineinhalb Jahre alt. Im Dorf erschienen die Deutschen, um das Vieh zu requirieren. Als einer von ihnen unser Haus betrat, brach meine Schwester in Tränen aus und lallte „pan bubu mlimli ma". Der Deutsche wollte wissen, was sie will. Meine Mutter erklärte dem Dolmetscher, daß das Kind deshalb weine, weil der Herr ihr die Kuh wegnehmen wolle und sie keine Milch mehr haben werde. Der Deutsche schaute auf meine Schwester, zog aus der Tasche ein Bild, hielt es meiner Mutter hin und sagte, er habe ein Mädchen gleichen Alters zu Hause zurücklassen müssen. Er konnte bei dieser Erinnerung seine Tränen nicht unterdrücken. Er wandte sich an meine Schwester und sagte ihr, daß ihr der Herr die Kuh nicht wegnehmen werde und sie um ihre Milch nicht besorgt sein müsse. Er stellte sich dann an die Gartentür und informierte seine Landsleute, daß von diesem Hof das Vieh bereits abgeholt worden sei. Unsere Nachbarin trieb sofort ihre Schafe auf unseren Hof, die auf diese Weise ebenfalls gerettet werden konnten.

Es ist die Niederschrift einer Begebenheit, von der meine Mutter mehrere Male erzählt hat.

Tadeusz Epsztein
Warszawa

FRANZ SCHMIDT

Er war Österreicher. Er trat 1932 in die NSDAP ein. Er war Chefredakteur der nazistischen Zeitung „Der Kampf" und leitete auch deren Nachfolger, den „Österreichischen Beobachter". Als Mitglied der SS-Holzweber-Standarte nahm er 1934 am Putsch gegen den Kanzler Dollfuß teil. Noch vor dem Zweiten Weltkrieg schloß er in Wien das Studium an der Hochschule für Welthandel ab. Dieser Umstand begünstigte meine freundliche Beziehung zu Franz Schmidt, weil auch ich diese Hochschule abgeschlossen habe.

Soweit ich unterrichtet bin, nahm Schmidt 1939 am Polenfeldzug nicht teil. Im Januar 1940 wurde er in das Generalgouvernement nach Lublin geschickt. Er wurde dort dem Amt für Ernährung und Landwirtschaft zugeteilt und mit der Leitung der Abteilung für Geflügel, Eier- und Honigproduktion sowie der Zuckerzuteilung (im Tausch gegen landwirtschaftliche Produkte) beauftragt. In dieser Zeit bekleidete ich das Amt des stellv. Direktors der polnischen Konsumentengenossenschaft „Społem" für den Lubliner Distrikt. In meinem Aufgabenbereich lag es, den Ankauf von Eiern und Geflügel zu leiten, sowie den Zucker im Tausch gegen landwirtschaftliche Produkte zu verteilen. Mir unterstand auch die Personalabteilung. In meiner Verantwortlichkeit lag es darüber hinaus, im Auftrag der Genossenschaft Kontakte zu den deutschen Besatzungsbehörden zu unterhalten. Vom Oktober 1940 bis zum 1. August 1944 war ich in der Zentrale der Genossenschaft „Społem" in Warschau tätig und für die Abteilung Eier-Geflügel im ganzen Generalgouvernement verantwortlich. Ich führte Aufsicht über Ankauf, Verarbeitung, Markierung und Lagerung von Eiern, ich führte Schulungen durch und war Verbindungsmann zu den höchsten deutschen Stellen sowohl im Generalgouvernement als auch in den einzelnen Distrikten. Meine amtliche Stellung zwang mich recht bald dazu, mit Schmidt Kontakt aufzunehmen, was im Januar 1940 erfolgt ist. Unsere Zusammenarbeit zog sich bis Ende 1943 hin, als Schmidt urplötzlich abberufen und an die norwegische Front geschickt wurde. Wie ich später in Erfahrung bringen konnte, arbeitete er dort mit der Widerstandsbewegung zusammen. Aus Polen wurde er wegen seiner ungebührlichen Freundlichkeit zu Polen abberufen.

Während meiner dreijährigen Zusammenarbeit mit Schmidt gelang es mir, viel für die Angestellten der Genossenschaft „Społem" sowie für die ganze polnische Bevölkerung zu erwirken. Franz Schmidt war zu verdanken, daß es u.a. möglich wurde, die Zwangsabgaben von Eiern aufzuheben, den Landwirten für freiwillige Eierlieferungen Zucker im Tausch gegen Eier anzubieten. Wir durften auch, von 1940 an bei Ankauf, Verteilung und Lagerung von Eiern Umsiedler aus Nord- und Westpolen beschäftigen, die zumeist jeglicher Lebensgrundlage entbehrten und keine Arbeit hatten. Diese Menschen wurden uns von der Widerstandsbewegung zugeschickt. Für diese Anliegen waren in der Genossenschaft u.a. zuständig: Witold Maręga, Dir. Krzyżanowski, ehem. Vorstand der Landwirtschaftlichen Kammer in Łuck, und Ing. Łoś, ehem. Vorsitzender des Verbandes der Gersteproduzenten. Von dieser Aktion profitierten ein paar hundert Menschen. Ich habe derzeit nur noch einige wenige Namen in Erinnerung, u.a. Edward Kantecki, Zofia Karłowska, Franciszek Majer, Angehörige der Familie von Witold Maręga, Stefan Wyrzykowski, Tadeusz Redlich-Michalski, Paweł Lipina (ein fahnenflüchtiger Wehrmachtssoldat), Dropalla vel Józef Zagórski und Michał Tomulewicz.

Schmidt war zu verdanken, daß wir in den Distrikten Lublin und Radomsk bei der Lagerung von Eiern ca. 100 Juden anstellen konnten, von denen etliche den Krieg überlebt haben. In der neugegründeten Abteilung für Honigankauf am Amt für Ernährung und Landwirtschaft des Generalgouvernements in Lublin konnte eine Polin, Ing. Zofia Karłowska eingesetzt werden, was zur Folge hatte, daß die Zuckerzuteilung für Imker gesichert und bestimmte Mengen Honig für einige Sozialeinrichtungen (Krankenhäuser, Schulen, Kinderheime) abgezweigt werden konnten. Das Ankaufsnetz für Eier wurde auf der Basis der bestehenden Genossenschaften ausgebaut, und es konnte darüber hinaus die Genehmigung für die Errichtung zusätzlicher Ankaufsstellen im Krakauer Distrikt (in Kazimierza Wielka, Łańcut und Leżajsk) erwirkt werden. Wir hatten auch freie Hand bei der Besetzung einzelner Posten und konnten gefährdete und arbeitslose Menschen in Schutz nehmen. Wir durften unsere Schulungen durchführen und Fachleute ausbilden, die nach dem Krieg einen wesentlichen Beitrag zum Aufbau der Geflügel- und Eierproduktion geleistet haben. Unser Personal bekam auch besondere Ausweise, durch die es vor Verhaftung geschützt war (besonders wichtig bei einer plötzlichen Razzia).

Schmidt intervenierte persönlich zugunsten der verhafteten Mitarbeiter unserer Genossenschaft und setzte sich auf unsere Bitte hin auch für andere Menschen ein. Seiner Fürsprache ist es zu verdanken, daß 1940–41 ca. 40 Personen aus Gefängnissen und ungleich mehr aus den Übergangslagern freigelassen wurden. Es konnte auch vielen geholfen werden, die bei einer Razzia verhaftet wurden. Aus dem Konzentrationslager Majdanek bekamen wir ca. 400 Personen frei, die aus der Gegend von Zamość und Biłgoraj ausgesiedelt worden waren (sie bekamen Ausweise als Angestellte der Genossenschaft und konnten in verschiedenen Teilen des Generalgouvernements Zuflucht finden). Hunderten von Menschen aus Zamość und Biłgoraj wurden gefälschte Arbeitskarten ausgestellt, um sie vor der Zwangsaussiedlung zu retten. Soweit ich mich erinnere, verdanken Schmidt ihre Freilassung u.a. Tadeusz Dziemski, Wanda und Janina Eustachiewicz, Andrzej Gwiżdż, Czesław Magierka, Grzegorczyk, Witkówna und Fularski.

Meine Familie hat Schmidt ebenfalls sehr viel zu verdanken. Aufgrund seiner sofortigen Intervention wurde ich – bei einer Straßenrazzia in Lublin, im Juni 1940 festgenommen – aus dem Gefängnis im Lubliner Schloß wieder freigelassen. Mit mir kam auch mein Cousin Andrzej Kołaczkowski frei. Nachdem mein Vater am 3. Juni 1940 verhaftet worden war, setzte sich Schmidt für ihn bei Globocnik und beim Chef der Gestapo in Lublin, Fischoter ein. Ich hatte schon einen Termin bei Fischoter – am 3. Juli 1940 sollte ich bei ihm vorsprechen. Dieses Gespräch kam aber nicht mehr zustande, weil ich am gleichen Tag früh morgens von Schmidt die Nachricht bekam, daß mein Vater mit einer Gruppe Gutsbesitzer und Intellektueller aus dem Kreis Krasnystaw und Chełm (insgesamt 38 Menschen) um 4 Uhr früh im Kumowa-Tal bei Chełm erschossen worden war. Schmidt berichtete mir später, daß seine Intervention deshalb erfolglos geblieben war, weil mein Vater auf der Abschußliste der Abwehr stand als einer jener Menschen, die die Untergrundbewegung im Lubliner Bezirk mitfinanziert haben. In den Karteien der Gestapo wurde er übrigens als ein noch vor dem Kriege sehr aktiver Gutsbesitzer geführt – er war jahrelang Vorsitzender des Gutsbesitzerverbandes im Kreis Krasnystaw gewesen.

Kurz danach warnte mich Schmidt, daß die Gestapo auch mich unter die Lupe zu nehmen gedenkt, weshalb es ratsam erscheine, Lublin zu verlassen. Noch am selben Tag begaben wir uns mit meiner Mutter zu unseren Verwandten aufs Land, und dann zogen wir nach Warschau um, wo ich wieder bei der Genossenschaft „Społem" einen Posten bekam. Schmidt rettete mich auch nach der nächsten Verhaftung durch die Gestapo 1943. Er verwendete sich für mich auch mehrfach bei den deutschen Behörden in Krakau, verhalf mir zu einer Wohnung in der Ursynowska-Str. und besorgte mir Lebensmittelzuteilungen.

Abschließend möchte ich sagen, daß Schmidt im Mai 1947 in Oberösterreich als ehemaliger Nazi verhaftet wurde (hauptsächlich wegen seiner Vorkriegsaktivitäten). Als wir dies aus der Zeitung erfahren hatten, stellten wir einen Bericht über das Verhalten Schmidts in Polen zusammen, den zehn Menschen unterzeichnet haben (u.a. Tadeusz Epsztein, Józef Jasiński, Zofia Karłowska, Piotr Kosiba, und Bolesław Zawadzki). Nachdem dieser Bericht auch vom Vorstand der Genossenschaft „Społem" und von polnischen Behörden gebilligt worden war, wurde er der österreichischen Vertretung in Warschau übergeben und weitergeleitet. Schmidt wurde aufgrund dessen freigelassen und war noch jahrelang für Polen tätig als Vertreter der Firma „Polcargo" in Wien. Diesen Posten bekleidete er bis zu seinem Tode im Jahre 1961.

Irena Gabrysiowa
Nowy Sącz

SIE HILFT MIR WEITERHIN

Ich habe das Bedürfnis, über meine deutsche Freundin zu berichten. Ihr Vater wurde in unsere Stadt noch vor dem Ersten Weltkrieg versetzt, um in den Werkstätten der Eisenbahn einen wichtigen Posten zu übernehmen. Nach 1918, als Polen seine Unabhängigkeit wieder erlangt hatte, verlor er diesen Posten, die Familie blieb aber aus mir näher nicht bekannten Gründen in Nowy Sącz (Neu Sandetz) und wurde Teil der hiesigen deutschen Kolonie. Die Kinder schickten sie jedoch aus konfessionellen Gründen (sie waren katholisch) nicht an die deutsche, sondern an die polnische Schule. Ich lernte die Tochter dieser Familie in der Schule kennen, und wir schlossen bald enge Freundschaft. Andere Kinder dieser Familie erlebten im Zweiten Weltkrieg sehr unterschiedliche Schicksale. Einer der Söhne war bei der Gestapo, arbeitete aber mit der polnischen Untergrundbewegung (AK) zusammen. Nachdem dies bekannt geworden war, wurde er in Lublin erschossen. Näheres darüber weiß ich nicht.

Meine Freundin arbeitete in dieser Zeit an der Telefonzentrale bei der Post. Die ihr einmal im Monat zustehende zusätzliche Zuteilung an Lebensmitteln, d.h. je 1 kg Mehl, Zucker und Grütze, sowie ein Stück Butter stellte sie uns zur Verfügung. Gelegentlich brachte sie uns auch einen Laib Brot. Im Frühjahr, als es besonders schwer war, besorgte sie uns immer etwas Kartoffeln und in dem schrecklichen Winter von 1942 sogar einen Gutschein für einen Kubikmeter Brennholz. Allen, welche die Besatzungszeit nicht erlebt haben, mag dies als eine Kleinigkeit erscheinen. Für uns war das eine nicht zu unterschätzende Hilfe. Wir verheizten bereits Bretter von der Laube und Zaunlatten; es graut mir noch heute bei dem Gedanken an die damalige Winterzeit.

Daran, was meine Freundin für uns getan hatte, gab es nichts Heldenhaftes, dennoch war eine Freundschaft zwischen einer Polin und einer Deutschen nicht ungefährlich, jede Hilfe an uns Polen wurde mißbilligt. Wir sahen uns zum letzten Mal im Oktober 1944, dennoch hält sich unsere Freundschaft bis heute. Meine Freundin ist schon pensioniert, dennoch schickt sie mir regelmäßig alle sechs Wochen Injektionen zu, die in der Schweiz hergestellt werden und DM 50.– pro Stück kosten. In der damaligen Zeit, in der wahnsinniger Haß wütete, gab es auch solche Menschen.

Józef Geringer D'Oedenberg
Yamoussoukre/Elfenbeinküste

„UNSER" MAJOR

Bis September 1939 lebte meine Familie bei Kattowitz, wo mein Vater als Bergbauingenieur im Bergwerk „Boże Dary" arbeitete. Nachdem die Deutschen in Kattowitz einmarschiert waren, wurden wir aus der Wohnung rausgeschmissen. Meine Mutter zog mit mir und meiner Schwester nach Krakau, wo ihre Eltern wohnten. Der Vater meiner Mutter, Mieczysław Kolbuszewski, war bis zum Kriegsausbruch Präsident des Appellationsgerichtes in Krakau. Meine Großeltern bewohnten in Krakau eine schöne geräumige Wohnung am Biskupi-Platz, so darf es nicht verwundern, daß diese Wohnung durch die Besatzungsmacht zur Besiedlung durch eine deutsche Familie vorgesehen wurde.

Eines Tages – wohl 1941 – meldete sich bei meinem Großvater ein Offizier der Wehrmacht, im Rang eines Majors, wenn ich mich richtig erinnere, und erklärte meinem Großvater, daß ihm diese Wohnung zugeteilt worden war. Dem Major war es sichtlich peinlich, damit zu kommen, und er war bereit, auf seinen Anspruch zu verzichten. Er machte aber meinem Großvater klar, daß dies nichts ändern würde, denn diese Wohnung würde bestimmt einem anderen Deutschen zugewiesen werden. Er gab uns ein paar Wochen Zeit, damit meine Mutter für sich eine Unterkunft finden konnte, was nicht einfach war. Wir fanden aber eine. Da unsere neue Wohnung in der Starowiślna-Str., (direkt gegenüber der Weichselbrücke), viel kleiner war, konnten wir dort nicht alle unsere Möbel aus der alten Wohnung unterbringen. Der deutsche Offizier bot uns aber an, den restlichen Teil der Möbel in der alten Wohnung stehen zu lassen und er versprach, auf sie aufzupassen. Während wir unseren Umzug vorbereiteten, besuchte uns dieser Offizier, währenddessen noch immer in der Kaserne wohnend, mehrmals (mein Großvater hatte den Universitätsabschluß in Wien gemacht und beherrschte daher vorzüglich die deutsche Sprache). Jedes Mal brachte er uns Kindern zu unserer Freude Spielzeug, Süßigkeiten und Orangen mit. Nachdem wir unsere Wohnung verlassen hatten, ließ er seine Familie aus Deutschland nachkommen.

Eines Tages gegen Kriegsende drang in unsere „neue" Wohnung eine Gruppe deutscher Soldaten ein und installierte am Fenster zur Brücke hin ein Maschinengewehr. Uns ließen sie „gnädigst" in dem anderen, kleineren Zimmer verbleiben. Wir mußten uns also nach einer anderen Bleibe umsehen. Es ergab sich, daß sich unsere früheren Nachbarn am Biskupi-Platz, die Familie Kołłątaj, die in der gleichen Etage wie wir wohnten, anboten, uns in ihre ebenfalls kleine Wohnung aufzunehmen. Wir wohnten sehr beengt, und es war ein bedrückendes Gefühl zu wissen, daß wir zu unserer alten Wohnung gegenüber keinen Zutritt hatten.

Einmal begegnete mein Großvater „unserem" Major im Treppenhaus, der angesichts der Entwicklung an der Front seine Familie inzwischen wieder zurück nach Deutschland geschickt hatte und sich nur noch selten in der Wohnung aufhielt. Er sagte zu meinem Großvater: „Ihr wohnt so beengt, und in meiner Wohnung lebt nur noch die Haushaltshilfe. Zieht zurück und belegt einen Teil eurer alten Wohnung. Der Krieg ist bald zu Ende, ihr habt dann gleich die ganze Wohnung zurück." Er bat nur, seine Haushaltshilfe so lange in der Wohnung zu dulden, bis sie sich eine Unterkunft besorgt hatte.

Wir zogen in unsere alte Wohnung zurück , und die Haushaltshilfe, Alina, wohnte bei uns noch einige Monate nach dem Krieg. Sehr wichtig dabei war der Umstand, daß Alina eine polnische Jüdin war, was dem Major sicherlich nicht unbekannt gewesen sein dürfte.

Ich kenne leider seinen Namen nicht, ich weiß nur, daß er ein Bayer war. Sein Büro befand sich in jenem Gebäude in der Słowackiego-Allee, in dem sich nach dem Krieg bis vor kurzem noch ein Priesterseminar befand. Ich erinnere mich, daß ich Ende 1944 (damals 8 Jahre alt) einige Male mit Alina in seinem Büro war.

Natalia Głuchowska
Gdańsk-Wrzeszcz

EIN SAMARITER

Während des Warschauer Aufstandes (1944) wohnte ich in der Nowy Świat-Str. Ecke Chmielna-Str. Gerade an dieser Ecke wurde eine Barrikade errichtet. Nachdem die Deutschen diesen Teil der Stadt zurückerobert hatten, befahlen sie allen, die Kellerräume zu verlassen, um die Bevölkerung zu sammeln und in ein Lager in Pruszków zu bringen. Zunächst trieben sie aber Frauen und Kinder auf einem Hof in der Smolna-Str. (Ecke Nowy Świat-Str.) zusammen. Die Männer sollten in der Zwischenzeit die Barrikade abreißen unter der Androhung, daß andernfalls wir Frauen und Kinder erschossen werden.

Kurz darauf wurde von der Barrikade ein verwundeter Pole herangeschleift. Er weigerte sich, die Befehle der Deutschen auszuführen und wurde von einem der Soldaten angeschossen. Einem der uns beaufsichtigenden deutschen Unteroffiziere war dies zu viel, und er verbot, auf die Männer an der Barrikade zu schießen. Er selbst holte aus seiner Tragtasche sein Hemd heraus und zerriß es, um den Verwundeten zu verbinden. Uns Frauen und Kindern ließ er mit unseren Männern in einer Gruppe zusammen nach Pruszków aufbrechen. Nachdem wir losgegangen waren, traten an diesen Unteroffizier zwei Gestapo-Leute heran und führten ihn ab. Keiner von uns weiß, was mit ihm passiert ist, obwohl man sich das denken kann...

Stanisław Grodziski
Kraków

OBERLEUTNANT KLUGE

Er war Wehrmachtsoffizier und von der Ausbildung her dürfte er entweder Philologe oder Pädagoge gewesen sein. Damals, 1941, wird er ca. 41 Jahre alt gewesen sein. Ich erinnere mich weder an seinen Vornamen noch an seinen Heimatort, gut möglich, daß ich das nie erfahren habe. Er hatte Kontakte zu Leipzig, vielleicht war er Sachse? Genauso gut hätte er Österreicher sein können, was sein Akzent nahelegen würde. Ich habe ihn jedenfalls in guter Erinnerung behalten.

Meine Eltern besaßen in der Nähe von Krakau ein kleines, aber gut geführtes Gut. Zu unserem Unglück befand sich in unmittelbarer Nachbarschaft eine Kaserne der Wehrmacht, was zur Folge hatte, daß bei uns immer wieder Militärlastkraftwagen vorfuhren, um Milch, Kartoffeln, Heu oder Stroh, je nachdem, was sie gerade brauchten, zu requirieren. Die Deutschen hielten sich aber ordnungsgemäß an die Spielregeln der Besatzungszeit und stellten für alle beschlagnahmten Lebensmittel Quittungen aus, die wir wiederum bei dem Ernährungsamt vorlegen konnten mit dem Anspruch, die allen landwirtschaftlichen Betrieben im Generalgouvernement auferlegten Zwangsabgaben um die requirierten Mengen reduziert zu bekommen. Einige Zeit später wurde dieses Verfahren vereinfacht: wir wurden ausgewiesen und unser Gut der Wehrmacht zur Verfügung gestellt, wodurch die Verpflegung der Kaserne besser abgesichert werden sollte.

Bis dahin aber kam mit der Requirierungstruppe immer ein Offizier mit, der die fraglichen Quittungen ausstellte (daher war uns sein Name bekannt). Bei dieser Gelegenheit versuchte er jedes Mal mit meinen Eltern ins Gespräch zu kommen – meine Eltern sprachen gut deutsch –, um so die Requirierung zu verharmlosen und einen fast privaten Kontakt zu knüpfen. Dieses Ansinnen konnte ihm aber deshalb nicht gelingen, weil meine Eltern große Zurückhaltung wahrten.

Nur ein einziges Mal konnte er das Eis brechen. Er brachte uns eine der fälligen Quittungen und fand meine Mutter, die seit längerem krank war, in einem besonders schlimmen Zustand. Herzmittel deutscher Produktion, die Abhilfe hätten schaffen können, waren im Generalgouvernement nicht aufzutreiben. Auf seine Frage hin, ob er sich behilflich zeigen könnte, überreichten wir ihm resigniert das in Polnisch und Latein ausgestellte Rezept. Er nahm es an sich und verabschiedete sich.

Zwei Tage später kam er wieder vorbei, diesmal in Zivil und ohne die Requirierungstruppe, um uns die ersehnten Medikamente zu übergeben. Wir nahmen sie mit großer Freude entgegen und fragten ihn, wie er sie so schnell hatte beschaffen können:

– „Wie haben Sie dies bloß in so kurzer Zeit geschafft?"

– „Mir kam in den Sinn, daß einer meiner Soldaten gerade auf Urlaub in Leipzig ist. Ich schickte ihm einen zweiten nach mit dem Befehl, dem ersteren das Rezept unverzüglich zuzustellen und ihn dazu zu verpflichten, dieses Medikament aufzutreiben. Sie brauchen mir dafür wirklich nicht zu danken!"

Kluge muß klar geworden sein, daß er von da an unser willkommener Gast sein werde. Er ließ sich aber bei uns nicht mehr blicken. Bald darauf wurde er angeblich an die Ostfront geschickt, wo er gefallen ist. Meine Mutter bekam ein Jahr Leben geschenkt.

Anna Grodzka
Łaty

SOLDATEN UND BIENEN

Es war im August 1944. Die deutsche Wehrmacht war im schnellen Rückzug begriffen. Białystok (in NO-Polen) war bereits befreit. Wir wohnten auf dem Lande. Früh morgens überraschte uns eine Gruppe deutscher Soldaten in Begleitung von zwei großen, dicken und furchterregenden Gestapo-Leuten.

An und für sich suchten sie Männer, die sie zum Ausheben von Gräben einsetzen wollten, nebenbei fingen sie aber an, unser armseliges Hab und Gut auf die LKWs aufzuladen. Bei uns zu Hause gab es keine Männer, nur Frauen: meine Mutter, meine Schwester (18), ihre Freundin aus Białystok und mich. Die Deutschen beschlagnahmten den Pferdewagen, das Pferd holten sie sich aus dem Stall, nur das Pferdegeschirr fanden sie nicht, und ohne dieses nützten ihnen Pferd und Wagen nicht viel. Die Gestapo-Leute fingen an, auf meine Schwester und ihre Freundin mit Stöcken einzuschlagen, damit sie ihnen zeigten, wo das Pferdegeschirr aufbewahrt werde. Bedauerlicherweise wußte es keine von uns, denn das Geschirr hatte noch mein Vater versteckt und niemandem etwas gesagt. Meine Mutter und ich zitterten in der Wohnung. Die zwei Gestapo-Leute drangen bald in die Wohnung ein und machten sich mit Stöcken über meine Mutter her. Von einem unbewußten Reflex geleitet, sprang ich auf den einen zu, ergriff ihn am Rockaufschlag und flehte ihn an, er möge meine Mutter nicht schlagen. Er blickte auf mich scharf herab und schlug auch mich mit dem Stock in die Seite. Ich spürte keinen Schmerz, merkte aber, daß mir die Hand verrenkt worden war. Ich fiel unter den Tisch. Bei diesem Anblick brach meine Mutter in Tränen aus. Die Gestapo- Leute kümmerten sich aber nicht weiter um mich, sondern schlugen weiter auf die Mutter ein. In der Zwischenzeit gelang es meiner Schwester und ihrer Freundin, (nicht ohne Zutun der deutschen Soldaten) die Flucht zu ergreifen. Die Mutter blutete bereits stark, und ich lag unter dem Tisch. Die Gestapo-Leute brachen an meiner Mutter ihre Stöcke kaputt und schlugen nun mit den Gewehrkolben zu. Einer von ihnen trat meine Mutter mit Füßen. Der andere bedrohte uns mit der Pistole und sagte: „Wenn wir das

Zaumzeug nicht kriegen, seid ihr alle erledigt!" Sie stürzten in den Garten hinaus, um weiter zu suchen. Wir hatten im Garten Bienenstöcke stehen. Unsere Nachbarin berichtete uns später, daß die Gestapos plötzlich von den Bienen angegriffen wurden. In der Zwischenzeit schlich sich ein junger deutscher Soldat schnell in die Wohnung herein, holte mich unter dem Tisch hervor, brachte mich auf den Hof und schnell in die Scheune. Von dort aus stieß er die andere Tür auf, die aufs offene Feld hinaus führte und schubste mich leicht an und sagte „Los" (das weiß ich heute noch auf deutsch). Während dieser Blitzaktion hatte er selbst Tränen in den Augen und sprach sanft auf mich ein (ich verstand kein Wort deutsch). Ich tauchte in den hohen Hafer ein, setzte mich in einer Furche auf den Boden, bedachte das Schicksal der anderen und murmelte vor mich hin: „Herr, gib ihnen die ewige Ruhe". Bald hörte ich, wie sich die gleiche kleine Tür in der Scheune schloß und meine Mutter – leise wimmernd – ebenfalls in das Haferfeld floh. Ich dachte mir gleich, daß dieser gute Mann auch sie gerettet hatte – ich beruhigte mich ein bißchen. Gewiß hatte dieser Mann selbst eine gute Mutter, vielleicht dachte er jetzt an sie.

Wir wissen nicht, wer uns gerettet hat. Wir kennen weder seinen Namen noch den Vornamen. Meine Mutter betete für ihn bis zu ihrem Tode im Jahre 1964, jetzt setze ich dies fort und halte seine gute Tat in dankbarer Erinnerung. Gott schickte uns diesen Menschen, damit er uns vor dem Tode errettete. Er und die Bienen waren unser Glück. Möge ihm und seiner Familie (ich bin fest überzeugt, daß er lebt) der gütige Gott alles vergelten.

Edward Haneman
Częstochowa

HAUPTMANN PAUL HOLLENWEGER

Bei dem Überfall der Deutschen auf Polen im September 1939 kämpfte ich als Soldat einer Sondereinheit der Tschenstochauer Garnison (7. Bataillon Leichter Artillerie). Wir kämpften entlang der Linie Łódź, Warszawa, Terespol und Hrubieszów. Einige Kilometer hinter Hrubieszów kam ich in Kryłów an, das mittlerweile von den Russen erobert worden war. Dort wurde ich entwaffnet. Dies dürfte sich am 20. September zugetragen haben. In der Nacht schlich ich mich auf die von den Deutschen besetzte Seite zurück, weil ich mich möglichst schnell nach Tschenstochau zu meinen Eltern durchschlagen wollte. Unterwegs wurde ich ein paar Mal interniert, konnte aber jedesmal wieder entfliehen. Ich verlor mein ganzes Hab und Gut, u.a. die Chronik unserer Artillerieschule für Reserveunteroffiziere in Włodzimierz Wołyński. In dieser Chronik hatte Wojciech Żukrowski die Geschichte unserer 5. Batterie recht phantasievoll festgehalten.

In der Nähe von Janów Podlaski wurde ich von einem jungen deutschen Offizier angehalten. Er salutierte mir zur Begrüßung und ließ sich mit mir in ein Gespräch ein. Aus seinen Worten ging hervor, daß er gegen den Krieg sei und das Schicksal der Polen bedauere. Er lud mich zum gemeinsamen Mittagessen ein, versorgte mich noch mit Proviant und legte mir nahe, daß ich mich auf meiner weiteren Wanderschaft auf ihn berufen sollte.. Er hieß Leutnant Hollenweger. Dies half mir wirklich durchzukommen, und ich konnte ungestört bei Zawichost zum anderen Weichselufer übersetzen.

Im Oktober 1973 konnte ich über das Deutsche Rote Kreuz erfahren, daß Hauptmann Hollenweger während der Kriegshandlungen im April 1945 gefallen ist.

Krystyna Hartleb
Toruń

DORIS

Ich lernte sie im Sommer 1942 kennen, während ich im Wohnungsamt arbeitete. Sie trat bei uns als Sekretärin des Abteilungsleiters an, eines dicken, gutmütigen Weimarers, der Müller hieß. Doris hatte es von Köln nach Lemberg verschlagen, wo sie bei der Zensurbehörde beschäftigt war. Zum Unterschied zu den meisten deutschen Frauen, die auf den Straßen Lembergs ihr Selbstbewußtsein offen zur Schau trugen, fiel sie durch ihre bescheidene Art auf.

Doris war mittelgroß, schlank und blond. Sie pflegte mit einer ernsthaften Miene herumzulaufen, was nicht bedeutete, daß sie nicht auch herzlich und offen lachen konnte. Im Umgang mit Menschen war sie immer sehr offen, egal welcher Nationalität diese waren. Für mich entwickelte sie (ohne einen sichtbaren Grund) vom ersten Augenblick an eine Sympathie. Sie sprach mich immer nur auf polnisch an, und als ihr Chef deswegen meckerte, lächelte sie darüber unschuldig hinweg und zwinkerte mir verschwörerisch zu.

Als wir eines Tages nach Arbeitsschluß das Büro verlassen hatten, bat sie mich, sie ein bißchen durch die Stadt zu führen. Sie erzählte mir dann auch von ihrer Familie. Vor dem Krieg wohnten sie eine längere Zeit in Tarnowskie Góry, wo ihr Vater eine Grundschule leitete. Ihr Bruder diente bei der Kriegsmarine. Nach diesem Stadtbummel besuchte sie mich zum ersten Mal zu Hause. Dies war der Anfang unserer Bekanntschaft, die sich bald zu einer Freundschaft entwickelte. Sie zog zu uns für die Zeit, bis sie ihr Zimmer zugewiesen bekam. Wir waren sogar froh darüber, denn so konnte bei uns niemand mehr einquartiert werden. Doris lebte sich bei uns schnell ein und hat meine Mutter sehr liebgewonnen. Sie wandte sich an sie stets mit der Koseform „mamusza“ (Mamilein)

Wir hatten nie das Gefühl, eine Fremde in der Wohnung zu haben. Die Besatzungsmacht traute in jener Zeit keiner polnischen Familie. In jedem Haus sprach man viel über den Krieg, überall wurden Untergrundbulletins gelesen und verbotene Literatur wurde heimlich aufbewahrt. Juden und der polnischen Untergrundbewegung wurde vielfach illegal geholfen. Natürlich wurde auch illegal

Radio gehört. In dieser Hinsicht ging es auch in unserem Hause nicht anders zu. Nie verfiel aber einer von uns auf den Gedanken, wegen Doris irgendeine Vorsichtsmaßnahme zu ergreifen. Sie hatte Verständnis für unseren polnischen Standpunkt und honorierte unsere Art. Wir zweifelten nie an ihrer Anständigkeit und waren uns ihrer Loyalität sicher. Doris selbst pflegte zu sagen, daß sie nur gute und böse Menschen unterscheide. Sie war dazu eine sehr gläubige Katholikin.

Eines Tages tauchte bei uns ein Jude auf, ein Bekannter meines Vaters, für den wir ein Versteck fanden. Als es galt, ihn am hellichten Tag dorthin zu führen, bot sich Doris an, mitzugehen, obgleich sie sich über die Gefahr einer solchen Entscheidung im klaren gewesen sein mußte.

Doris bekam dann später eine andere Arbeit und auch eine eigene Wohnung. Sie schloß unter den Deutschen neue Bekanntschaften, was jedoch unsere Beziehungen nicht im geringsten störte. Nach wie vor besuchte sie uns oft und half sogar bei so mancher Hausarbeit.

Bei uns wohnte damals ein junger Bekannter, der an Doris Gefallen fand. Wir machten oft zu dritt lange Spaziergänge oder Ausflüge in die Gegend von Lemberg. Wir feierten zusammen das Osterfest 1943 und besuchten die Kirchen, in denen, wie immer, das Grab Christi errichtet war, um dort kurz zu beten.

Im Frühsommer des nächsten Jahres wurde Doris nach Tarnopol versetzt. Auch mein Bekannter verließ die Stadt. Ich kam mir plötzlich sehr einsam vor. Doris hat uns nicht vergessen. Jedes Mal, wenn sie in Lemberg war, kam sie auch bei uns vorbei.

Als das fünfte Kriegsjahr angebrochen war, befanden sich die Deutschen an allen Fronten auf dem Rückzug. Zahlreiche Ämter und Betriebe schickten sich zur Evakuierung an, so auch der Betrieb von Doris. Vor ihrer Abfahrt kam sie noch schnell auf einen Sprung bei uns vorbei, um sich zu verabschieden. Sie sah nicht gut aus und war sehr bedrückt. Sie machte sich um ihren Bruder Sorgen und war von der unvermeidbaren Niederlage und dem schweren Blutopfer ihres Volkes sehr betroffen. Sie landete in Krakau, von wo sie uns einige Male schrieb.

In den ersten Augusttagen 1944 wurde Lemberg von der Roten Armee eingenommen. Infolge der neuen Grenzziehung mußten Millionen von Polen ihre Heimat verlassen. Unsere Familie ließ sich in Thorn (Toruń) nieder. 1958 bekam ich plötzlich einen Brief von Doris. Obwohl ich mich mit ihr sehr verbunden gefühlt hatte, fiel es mir unheimlich schwer, mich wieder in jene leidvolle und mittlerweile so weit zurückliegende Zeit zurückzudenken. Ich habe Doris nie geantwortet.

Bohdan Hyla
Kraków

PAUL NEUGEBAUER

In der Zeit der deutschen Besatzung wohnte ich mit meinen Eltern und meiner jüngeren Schwester in Tschenstochau. Eines der Zimmer unserer Wohnung wurde mit voller Einrichtung von den Behörden deutschen Beamten als Quartier zugewiesen. Vom Frühjahr 1941 bis zum späten Herbst 1943 bewohnte es ein Angestellter beim Arbeitsamt, Paul Neugebauer. Er stammte aus Breslau (Wrocław), war ca. 58 Jahre alt und sprach fließend polnisch. Als wir ihn fragten, woher er sein ausgezeichnetes Polnisch habe, antwortete er, daß er vor dem ersten Weltkrieg viel auf dem Gebiet des ehemaligen Kongreßpolen verkehrt habe, weil er dort polnische Landarbeiter für die Saisonarbeiten in Deutschland angeworben habe. In jener Zeit lernte er auch Warschau, Łódź, Piotrków und Tschenstochau kennen. Im Ersten Weltkrieg kämpfte er in Frankreich, wo er sich ein Leiden im linken Ellenbogen zugezogen hatte. Er trug eine orthopädische Prothese, damit er den linken Arm im Ellenbogengelenk bewegen konnte. Er erzählte, daß er damals Opfer des Giftgases geworden sei. Die Deutschen setzten damals gegen die Franzosen Kampfgas ein, der Wind wechselte aber plötzlich die Richtung und wehte das Gas auf die deutschen Stellungen zurück.

In der Zeit, als Neugebauer mit uns wohnte, ließ er sich als ein ruhiger, anständiger und polenfreundlicher Mensch erkennen. Nicht ein einziges Mal ließ er etwas Abfälliges über Polen oder Juden verlauten. Obwohl er am Revers das NSDAP-Parteiabzeichen trug, half er so manchem Polen, der bei einer Razzia verhaftet und dem Arbeitsamt als Arbeitskraft zur Verfügung gestellt wurde. Ich hörte davon, daß er einigen Verwandten des Ladenbesitzers in unserem Hause geholfen haben soll.

Paul Neugebauer half auch unserer Familie. Er besorgte für uns in der Kantine leckeren Schmelzkäse und ließ uns durch seinen deutschen Amtsboten Henschel Brot nach Hause bringen. Mein Vater war Gymnasiallehrer und unterrichtete illegal weiter. In unserer Wohnung fanden Unterricht und Prüfungen statt. Paul Neugebauer, der die meiste Zeit außerhalb des Hauses verbrachte, merkte dennoch nach einer gewissen Zeit, was los war. Er hat uns aber nicht angezeigt. Gegenüber meiner Mutter ließ er einmal die Bemerkung fallen: „Ich weiß, daß ihr nur in dieser Weise weiterlernen könnt, weil eure Schulen geschlossen wurden."

Er kam gewöhnlich zum Abendessen in die Küche und aß mit uns, aber seinen eigenen Proviant (um uns nicht eine Last zu sein). Dies war seine Idee, er wollte nicht allein essen. Er mochte meine Schwester sehr, die er „Barbórka" („Bärbel") nannte und versprach ihr, sie einmal nach Breslau mitzunehmen, wo seine Familie zu Hause war. Er hatte eine Frau und drei Söhne, von denen der älteste, den er ganz offenbar am meisten mochte, eingezogen war und zunächst in Frankreich kämpfte, dann aber an die Ostfront versetzt wurde. Sein mittlerer Sohn wurde 1943 eingezogen, aber nicht an die Front geschickt. Der jüngste war so alt wie ich (Jahrgang 1928), und war zu Hause. Beim Essen sprachen wir über familiäre Angelegenheiten, Politik war tabu. Manchmal wurden lediglich allgemein bekannte Tatsachen laut ausgesprochen, wie z.B. „Von den Kirchtürmen wurden Glocken heruntergeholt." oder „das Getto wurde in die Luft gesprengt." Die beiderseitige Zurückhaltung hatte ihren Grund wohl darin, daß wir einander doch nicht bis ins letzte vertrauten.

Einmal sagte Neugebauer: „Wenn Piłsudski länger gelebt hätte, hätte es keinen Krieg gegeben." Ein anderes Mal fragte ich, ob es in Breslau eine Synagoge gibt. Er sagte mir, daß es eine gegeben habe, die aber 1938 zerstört wurde. In dieser Feststellung klang keine Billigung an. Einmal, im Jahre 1942, erzählte ich ihm, daß am Vormittag in der Nähe unseres Hauses Juden gearbeitet hatten und die Mieter ihnen zu essen brachten. Er hörte sich dies ruhig an und sagte nichts. Ähnlich reagierte er, als ich ihm berichtete, daß unsere Straße vor dem Krieg die Schlesische-Aufständische-Str. geheißen hatte, und daß ich davon träumte, daß die Russen gekommen seien.

Er war ein engagierter Katholik. Jeden Sonntag ging er in die nahegelegene St. Jakobs-Kirche zur Messe. Als diese Kirche 1942 den Orthodoxen übergeben wurde, ging er ins Kloster auf „Jasna Góra". Alle zwei Wochen fuhr er nach Hause. Er nahm den Weg über Lubliniec, Olesno, Kluczbork – manchmal über Opole, und berichtete uns dann darüber, indem er die polnischen Ortsbezeichnungen benutzte. Zweimal besuchte ihn seine Frau Martha in Tschenstochau. Sie war sehr nett, konnte aber kein Polnisch bis auf „Dziękuję" (Danke), „Dzień dobry" (Guten Tag) und „Do widzenia" (Auf Wiedersehen). Meine Eltern unterhielten sich mit ihr auf Deutsch. Nach einem der Gespräche sagte uns die Mutter: „Sie behauptet keine Deutsche, sondern eine Schlesierin zu sein." Frau Martha berichtete uns mit tiefster Rührung über ihren Besuch bei der Muttergottes im Kloster auf „Jasna Góra".

Seit dieser Zeit schickten wir uns jeweils zu Weihnachten und Ostern Grußkarten mit Wünschen. Neben Frau Martha unterschrieben stets auch ihre Söhne Heinz und Günther.

Seit Mitte 1943 bekam unser Untermieter von seinem ältesten Sohn von der Ostfront keine Karten mehr. Dies bedrückte ihn sehr. Kurz nach dem Allerseelentag erklärte er uns, daß er nach Radom versetzt werden sollte, sich aber dem widersetzt habe, weil er dann zu weit weg von seiner Familie gewesen wäre. Er meinte, er könne nicht mehr länger in Tschenstochau bleiben und würde nach Breslau zurückkehren. Wir dachten uns dazu unseren Teil und ahnten wohl, daß seine Versetzung mit seiner Polenfreundlichkeit zu tun hatte. Er verließ uns Mitte November 1943. Wir bekamen von ihm vielleicht noch einmal Weihnachtsgrüße, dann hörten wir nichts mehr voneinander.

Nach Kriegsende begab sich von den Mietern unseres Hauses als erster der Ladenbesitzer mit seiner Familie nach Wrocław. Er fand die Schleiermacherstr. 16, unser Bekannter war aber weg. In einem fast leer stehenden Haus war nur noch der Frisör verblieben, der sagte, daß die Familie Neugebauer nach Bayern evakuiert worden sei. Die Adresse kannte er nicht oder wollte sie nicht preisgeben. Was blieb, ist eine gute Erinnerung.

Eugeniusz Jelonek
Skawina

THOMAS MEILERT

Ich möchte über einen SS-Sturmscharführer aus dem Montelupi-Gefängnis in Krakau berichten. Wir nannten ihn „Goldmund“, weil er fast nur noch goldene Zähne hatte, er hatte aber auch ein Herz aus Gold. Er war aus Bayern und hatte zu Hause einen großen landwirtschaftlichen Betrieb. Er pflegte zu sagen: „Dort war ich ein König, und was bin ich jetzt?“ Er hat nie einen Häftling geschlagen, und immer wenn der schwarze Wagen vorgefahren war, um Häftlinge zum Ort der Erschießung zu bringen, ließ er sich nicht blicken. Nicht er rief die Todeskandidaten auf, sondern ein Ukrainer. Die Opfer taten ihm leid, sagte er mehrfach. Im Montelupi-Gefängnis waren Menschen mit „bedingter“ Todesstrafe eingesperrt. Falls in der Nähe des Wohnorts entweder ein Vergeltungsakt für Sabotage oder eine Partisanenaktion „nötig“ geworden war, holte man sich aus diesem Gefängnis die Opfer. Wenn drei Monate lang nach der Einlieferung ins Gefängnis nichts dergleichen vorgekommen war, konnte der Häftling etwas aufatmen, es hieß, daß „er nach und nach vergessen“ wurde.

Der „Goldmund“ strahlte stets, wenn er jemanden aufrufen konnte, der entlassen wurde oder in ein Konzentrationslager überführt werden sollte, wo es größere Überlebenschancen gab. Als ich 1944 in dieses Gefängnis eingeliefert wurde, war ihm nämlich schon klar, daß der Krieg verloren ist und die endgültige Katastrophe nur eine Frage der Zeit war.

Ihm war zu danken, daß wir Lebensmittelpakete von RGO oder von den Familien im intakten Zustand übergeben bekamen. Er ging auch sonst den Häftlingen zur Hand, wo dies nur möglich war. Er verteilte z.B. drei Karmeliter-Patres auf ihren Wunsch auf drei verschiedene Zellen, damit sie effektiver Seelsorge betreiben konnten. Er duldete es auch, daß wir vor dem Morgenappell heimlich die Messe feiern konnten (als Paramente dienten uns ein Glas, ein Handtuch und ein Stück Pappe).

Eines Abends drehte sich ganz außerhalb der gewohnten Ordnung der Schlüssel im Schloß um – wir standen sofort stramm und sahen den Goldmund in der Tür. Er führte einen Jungen herein und sagte kopfschüttelnd „Und dies soll ein Bandit sein!"

Als die Front näher kam, wurde eine Überführung der Häftlinge angeordnet, obschon wir mit Entlassung rechneten. Ich schenkte damals dem Goldmund meinen auf deutsch verfaßten Reim:

Wo die Anderen haben Erze,
Zeigt er großherziges „serce"!

Beigefügt war meine Adresse, weil der Zettel als „Eiserner Brief" (Geleitbrief) gedacht war für den Fall, daß der Goldmund in Gefangenschaft gerät. Er wußte es zu schätzen und beschloß, diesen Zettel in seiner Uniform einzunähen.

Der Goldmund begleitete im Juli 1944 unseren Transport nach Großrosen. Wir fuhren in Güterwaggons zu hundert in einem. Nach der Ankunft rief mich der Goldmund extra auf, um sich zu überzeugen, ob ich noch am Leben bin, denn viele starben unterwegs. Ich konnte nicht begreifen, was er wollte, als er bei meinem Anblick nur abgewunken hat. Nach der Rückkehr aus der Gefangenschaft erfuhr ich, daß Goldmund nach seiner Rückkehr nach Krakau meine Wohnung in der Sienna-Str. 5 aufgesucht hat, um meiner Frau mitzuteilen, daß ich lebe und wohin wir gebracht wurden. Er wies sich dabei mit meinem Zettel aus. Ich weiß nicht mehr, ob er diesen Zettel jemals noch verwenden konnte und ob er ihm was genützt hat. Ich weiß nicht einmal, ob er lebt, auf jeden Fall in der dankbaren Erinnerung unserer ganzen Familie.

Ganz zum Schluß möchte ich hinzufügen, daß es Deutsche gab, die in einem ganz anderen Geiste aufgewachsen sind. Ein Beispiel dafür wäre jener deutsche Soldat, der bei der Freundin meiner Frau einquartiert wurde. Er hatte am Hals eine schlimme Rißwunde vom Stacheldraht. Alle Heilungsversuche blieben erfolglos, bis jene Frau sich entschloß, ihn mit ihren „Hausmitteln" zu behandeln. Dies brachte Erfolg, und der Soldat sagte ihr dazu: „Meine Mutter wird es nie im Leben glauben, daß ein polnisches Mädchen sich bereit zeigte, mich, einen Deutschen zu heilen". So tief hatte sich der Haß mitunter in die Herzen eingefressen.

Andrzej Jochelson
Wrocław

DAVID ADAM SCHILLING

Er war Eigentümer eines Tabakladens und einer Großhandelsfirma für Tabakwaren in Bensheim, einer kleinen hessischen Stadt. Er war Mitglied der katholischen Partei „Zentrum" und ein erklärter Gegner des Nationalsozialismus. Nachdem Hitler an die Macht gekommen war, verbrachte er ein Jahr in dem Konzentrationslager Offenbach. Nach dem Ausbruch des Zweiten Weltkrieges wurde ihm angetragen, in der Tabakbranche im besetzten Polen tätig zu werden. Er willigte ein, weil er glaubte, so die Möglichkeit zu bekommen, Polen zu helfen.

Er wurde Direktor des Tabakverkaufslagers in der Dolne-Młyny-Str. in Krakau. Er nutzte seinen Posten, um anderen zu helfen. Er verkaufte große Mengen Zigaretten an Polen, die sie dann auf dem Schwarzmarkt weiterverkauft haben. Sehr viele Menschen wandten sich an ihn in dieser Angelegenheit, und – soviel ich weiß – ließ er niemanden leer ausgehen. Er nahm auch zahlreiche Interventionen zugunsten der Menschen in Notlage bei den deutschen Behörden vor.

In dem Zusammenhang möchte ich über zwei Fälle berichten, die mir gut bekannt sind. In einem dieser Fälle war ich direkt betroffen.

Am 6. August 1944 wurden in einer Razzia einige Tausend Polen – darunter auch ich und meine Frau – festgenommen und in das Lager in Płaszów gebracht. Meine Frau, Henryka, war Angestellte bei Schilling und wandte sich an ihn um Hilfe. Dies war kein einfaches Unterfangen, denn über die Entlassung entschied SS-Offizier Kurt Lackau, der mich noch aus der Zeit vor dem Krieg kannte und bei meinem Anblick gleich grollte, daß ich garantiert in einem Vernichtungslager – in Großrosen oder in Auschwitz – krepieren würde. Dennoch schaffte es Schilling, mich freizubekommen. Ihm war dabei ein anderer SS-Offizier behilflich, der bei dem Entlassungsverfahren Lackau ablöste, wenn dieser mal Erholung brauchte. So habe ich Schilling praktisch mein Leben zu verdanken.

In dem anderen Fall handelte es sich um Hilfe, die Schilling über seine polnischen Arbeiter des Tabakverkaufslagers einem Krankenhaus im Stadtteil Prądnik Czerwony zukommen ließ. Der Ordinarius einer der Stationen, Dr. Adam Płatek, Major in der Untergrundarmee (AK), entschloß sich, sich der verwundeten und kranken Kämpfer des Warschauer Aufstands, sowie der Aussiedler aus Warschau anzunehmen. Das Krankenhaus litt aber unter akutem Mangel an Lebensmittel, Arzneien, Verband- und Heizmaterial. Dr. Płatek berichtete darüber meiner Frau, und sie teilte die Sorge ihren Arbeitskollegen mit. Sie beschlossen, sich in dieser Angelegenheit an Schilling zu wenden und um Hilfe zu bitten. Er zeigte sich sehr großzügig. Er verkaufte billig eine Menge Zigaretten an polnische Angestellte, die sie auf dem Schwarzmarkt mit Gewinn weiterverkauften und die so gewonnenen Gelder dem Krankenhaus zur Verfügung stellten. Nicht nur Schilling zeigte sich großherzig, auch die polnischen Angestellten verhielten sich sehr anständig.

Emilia Karpińska-Stanek
Poznań

WILLI HUBER

Im August 1940 durfte ich meinen Mann Florian Karpiński exhumieren lassen. Er lag in einem Massengrab in Lipnica, wo er während der Kämpfe am Fluß Bzura 1939 gefallen war. Er wurde auf den Friedhohf in Łowicz umgebettet. Nachdem ich nach Domaradz (Kreis Brzozów) zurückgekehrt war, fand ich eine Vorladung zum Kreishauptmann in Sanok vor. Mit großem Schreck in den Knochen folgte ich sofort der Vorladung. Ich wurde von Willi Huber empfangen. Er zeigte mir ein mit vielen Stempeln versehenes und von der Gestapo in Posen signiertes Schreiben. Ich konnte gut Deutsch und überflog es schnell. Darin stand: „Frau Emilia Karpińska ist zu allem, was deutsch ist, sowie zu den nationalsozialistischen Ideen feindlich eingestellt. Sie soll liquidiert werden."

Willi Huber blickte mich an und fragte, was ich dazu meine. Ich gab ihm zur Antwort, daß es stimmte, und es auch nicht anders hätte kommen können. „Im Januar 1940 wurde ich mit meiner Mutter aus Posen zwangsausgesiedelt, bereits eine Woche später landeten wir in einem ukrainischen Lager in Sanok. Kurz vor dem Krieg habe ich geheiratet und glaubte eine schöne Zukunft vor mir zu haben. Mittlerweile ist alles vorbei. Ich leugne mein Zugehörigkeitsgefühl zu Polen nicht."

Willi Huber lächelte und erklärte, froh zu sein, an mir all das Gute, das ihm in Polen zuteil geworden war, wenigstens zu einem Teil zurückzahlen zu können. Er erzählte, daß er als Schulinspektor für deutsche Schulen in Wolhynien tätig war und überall nur Freundlichkeit erfahren hatte. „Ich lasse Sie jetzt laufen, wir taufen Sie nur auf Maria um und werden Sie weiter beobachten. Wenn Sie nur keine Bomben basteln, wird alles gut gehen."

Es mußte aber eine recht nachlässige Beobachtung gewesen sein, weil es mir gelang, illegal im Untergrund das Lehrerseminar abzuschließen und das Abitur zu schaffen. Außerdem versteckte ich bei mir den örtlichen Befehlshaber der Untergrundarmee mit seiner Mutter und bin nicht aufgefallen.

Bereits nach dem Krieg konnte ich von Frau Piękniewska erfahren, daß Huber in Sanok die Jungen von der dortigen „Społem"--Schule gewarnt hatte, daß sie von der Gestapo aus Rzeszów geholt werden sollen. Sie setzten sich rechtzeitig ab.

Ich weiß nichts über das weitere Schicksal von Huber, mit dieser Niederschrift möchte ich mich aber bei ihm vor meinem Tod noch einmal bedanken.

Aldona Kimontt
Warszawa

GOTT SCHICKTE UNS EINEN ENGEL IN DER WEHRMACHTSUNIFORM HERAB

Einige Stunden vor dem Ausbruch des Warschauer Aufstands war ich in die Stadt gegangen und schaffte es nicht mehr, nach Hause zurückzukehren. Zu Hause verblieben zwei mir sehr nahestehende Personen – meine fast schon achtzigjährige Mutter und ihre noch ältere Schwester.

Wir wohnten in der St-Barbara-Str. 5. Zu unserem Haus gab es ursprünglich Zugang von zwei Straßen, das Haus hatte auch zwei Haustüren: eine von der St-Barbara-Str. und die andere von der Wspólna-Str. Einige Jahre vor dem Krieg wurde jener Teil des Hauses zur St.-Barbara-Str. hin verkauft, und im Hof wurde in der Mitte ein Zaun errichtet.

Unser Teil war vom Ausbruch des Aufstandes an stets in deutschen Händen. Deutsche Soldaten hielten in diesem Stadviertel die Post in der Poznańska-Str. besetzt, zu der es sowohl von der Nowogrodzka-Str. als auch von der St. Barbara-Str. Zugang gab. Die Wspólna-Str., an die der andere Teil unseres Mietshauses grenzte, war in den Händen der Aufständischen. Diese unternahmen am 9. September den Versuch, über unseren Hof zur St.Barbara-Str. vorzudringen und die Post einzunehmen. Nachdem sie für einen Augenblick auch unseren Teil des Hofes erobert hatten, flohen viele Mieter von der deutschen Seite über den Zaun zu Polen herüber. Auf der deutschen Seite verblieben nur ältere Menschen (darunter auch meine Mutter mit ihrer Schwester), die es nicht schafften, über den Zaun, der den Hof in zwei Teile trennte, zu klettern.

Der Angriff der Aufständischen wurde von den Deutschen zurückgeschlagen. Die Deutschen ließen alle Mieter in den Hof hinuntersteigen, und vor ihren Augen steckten sie das Haus in Brand. Als eine der Frauen nicht schnell genug ihre Wohnung verlassen wollte, weil sie noch etwas mitnehmen wollte, wurde sie im Treppenhaus erschossen.

Meiner Mutter mußte der Ernst der Lage gar nicht klar genug gewesen sein, denn als sie von dem deutschen Offizier aufgefordert wurde, sofort die Wohnung zu verlassen und auf die Straße hinunterzusteigen, wo schon viele versammelt waren, bestand sie darauf, doch noch schnell in die Wohnung zurückzukehren, um ein paar dringend nötige Dinge mitzunehmen, ohne die sie sich nicht von der Stelle rühren würde.

Der Ausbruch des Aufstandes war ja vorauszusehen, in weiser Voraussicht dessen hatten wir mit meiner Mutter die uns wichtigsten Dinge zusammengepackt, u.a. wertvolle Gegenstände, wichtige Papiere und ein paar Reinigungsmittel zu einem Bündel, das wir in der Hand tragen konnten.

Nach kurzer Überlegung willigte der Offizier ein und begleitete meine Mutter zurück in den ersten Stock. Meine Mutter griff nach dem Bündel und konnte darüber hinaus noch schnell in mein Zimmer treten, um ein paar Kleinigkeiten vom Schreibtisch, von der Kommode und eine Decke mitnehmen. Der Deutsche wartete im Flur, und als sie die Wohnung verlassen hatten, schloß er die Wohnungstür ordnungsgemäß ab und händigte meiner Mutter die Schlüssel aus, obwohl das Haus schon brannte! Er half ihr die Sachen in den Hof hinunterzutragen und ordnete an, daß sie und ihre Schwester auf ihn warten sollten. Er selbst ging auf die Straße hinaus und kehrte eine Zeit lang später mit seinem Chauffeur zurück, dem er befahl, das Hab und Gut beider alten Frauen zum Wagen zu tragen. Er bat anschließend beide Frauen, in dem Militärwagen Platz zu nehmen, setzte sich selbst auf den Beifahrersitz, und sie fuhren in unbekannte Richtung davon.

Die total überraschten Frauen waren zunächst gar nicht fähig, mitzubekommen, wohin sie fahren. Etwas später merkten sie, daß der Wagen zum dritten Mal an der gleichen Mauer und dem gleichen Zaun am Jesu-Kind-Krankenhaus vorbeifuhr, daß sie also im Kreise fuhren. Meine Mutter flüsterte ihrer Schwester zu: „Er hält nun Ausschau nach einem passenden Ort, an dem er uns erschießen kann.“ In Erwartung des nahen Todes begannen sie beide zu beten.

Es kam aber ganz anders. Der Betreuer schaute auf die Uhr und ließ den Fahrer umkehren. Sie hielten erst vor „Roma“ an, wo auf der Straße bereits eine große Schar der Nachbarn und der Bewohner der Nebenstraßen versammelt standen. Auch die

Geistlichen der Pfarrei in Koszyki und der Bischof Schlagowski waren dabei.

Der Deutsche half den Frauen aus dem Auto, stellte ihre Habseligkeiten auf den Bürgersteig hin, salutierte zum Abschied und fuhr davon. Er wollte sie ganz offenbar nicht zu früh zu der Sammelstelle bringen, bevor mehrere Menschen zusammengekommen waren, er wollte sie auch nicht im Hof des brennenden Hauses länger warten lassen, deshalb fuhr er sie eine Weile im Kreise herum. Er vertraute sie den Priestern und Ordensschwestern an, die in der Besatzungszeit in „Roma", in RGO arbeiteten. Meine Lieben verbrachten dort die Zeit bis zum 20. August, d.h. bis zu jenem Tag, an dem die Deutschen alle Menschen von „Roma" nach Milanówek überführt haben.

Wenn ich gelegentlich an die Berichte meiner Mutter und meiner Tante zurückdenke, wie sie das Haus verlassen mußten, kommt mir das ganze wie ein Märchen aus „Tausend und einer Nacht" vor. Und dennoch war es handfeste Realität. Die Wirklichkeit übersteigt manchmal die kühnsten Träume. Für Gott ist nichts unmöglich. Vielleicht schickte Gott jenen Engel herunter, der seinerzeit den hl. Petrus aus dem Gefängnis hinausgeführt hatte, und ließ ihn in der Uniform eines Wehrmachtssoldaten erscheinen? Vielleicht aber gab es eben auch edle Deutsche, die den Auszurottenden hilfsbereit die Hand entgegengestreckt haben, wann's ihnen nur möglich war?

Marta Kłyszewska
Warszawa

WENN UNS GOTT NICHT STRAFT...

Von 1940 an arbeitete ich bei der Hauptpostdirektion. Von der Ausbildung her war ich Ingenieur, und weil ich gut Deutsch konnte, wurde ich in der Bauabteilung angestellt. Leiter dieser Abteilung war damals Rudolf Eichler, ein Baumeister aus Leipzig. Er dürfte um die dreißig gewesen sein und hatte die Figur eines typischen Biertrinkers: er war mittelgroß, gedrungen, hatte den Kopf kahlgeschoren und leicht hervorstehende Augen. Regte er sich auf, wurde sein Kopf rot. Ich hatte meinen Platz im Zimmer der Sekretärin. Dort stand ein Telefonapparat, der nur in der Mittagspause dorthin umgeschaltet wurde, wenn der Chef essen gegangen war. Ich erinnere mich noch lebhaft daran, daß er uns – einmal etwas früher als sonst von der Mittagspause zurückgekehrt – beim Radiohören überraschte. Er wurde rot im Gesicht und schrie: „Schalten Sie diese Affenkiste sofort ab, die lügen ja nur in einem fort!" Bald konnte ich weitere Schlüsse auf seine politische Einstellung ziehen. Eichler kam an meinem Schreibtisch vorbei und sah dort „Mein Kampf" von Hitler liegen. Er blickte mich böse an und fragte: „Wozu lesen Sie das eigentlich?". Ich antwortete, daß ich erfahren wolle, was auf uns zukomme. Darauf winkte er ab und kehrte mir den Rücken.

Die Post beauftragte polnische Firmen mit verschiedenen Bauarbeiten. Der Zutritt zur Baustelle war nur aufgrund eines Passierscheins möglich. Dieser wurde an Hand einer von den Bauleitern erstellten Liste ausgestellt. Eichler signierte alle von uns ausgestellten Ausweise, ohne sie anzusehen. Diese Bescheinigungen verschafften dem Besitzer den Vorteil, daß er bei einer Razzia vor der Verhaftung relativ gut geschützt war. So stellten wir diesen Ausweis all jenen aus, die glaubten, ihn gut gebrauchen zu können. In dieser Frage ist später der Nachfolger von Eichler, Baurat Rudolf Körner, der den Polen weit weniger wohlgesinnt war, ähnlich verfahren. Aber auch Körner machte sich einmal die Mühe, sich für einen Architekten von unserer Abteilung und für den Leiter einer der dienstleistenden

Baufirmen zu verwenden und diese freizubekommen, nachdem sie bei einer Razzia verhaftet worden waren.

Nach dem Überfall Deutschlands auf die Sowjetunion stürzte Eichler mit einer kleinen Weltkarte in der Hand in das Sekretariat herein und sagte: „Schauen Sie nur, das ist Deutschland, und so groß ist Rußland. Wie können wir denn diesen Krieg jemals gewinnen?" Etwa ein halbes Jahr später sagte er zu mir: „Bleiben Sie heute nach der Arbeit etwas länger im Büro. Ich bekomme Besuch. Mein Freund, ein Kaufmann aus Hannover, kommt von der Ostfront. Da kriegen Sie was zu hören!" Dieser Freund war ein einfacher Soldat in mittlerem Alter. Sein Bericht war erschütternd, bestätigte allerdings, was uns auch sonst bekannt war, den grausamen Umgang der Deutschen mit den Bewohnern von Płock, Verladung von „arischen" Russen und von Juden auf Boote mit Leck, damit diese mitten auf dem Fluß kentern sollten. Er berichtete über die Gefangenenlager für Russen: Menschen wurden in Erdhöhlen gehalten, die sie sich zuvor selbst hatten ausgraben müssen. Infolge des unzumutbaren Hungers wurden dort Fälle von Kannibalismus bekannt. All diese Grausamkeiten bestätigten uns nach dem Krieg Aufzeichnungen und Dokumente. Zum Schluß sagte dieser Soldat: „Wenn uns Gott dafür nicht straft, gebe ich meinen Gottesglauben auf." Eichler hörte zu, regte sich immer wieder auf und wurde rot im Gesicht.

Einige Zeit später, als wir an einem Montag im Büro erschienen, fanden wir Eichler in einem bedauernswerten Zustand vor. Am Kopf und im Gesicht hatte er zahlreiche Abschürfungen und blaue Flekken. Er rannte mit unheimlicher Wut im Bauch durch die Büroräume. Als wir ihn vorsichtig ausfragten, wer ihn denn so zugerichtet hatte, erzählte er uns, daß die Deutschen am Samstagabend in der Jasna-Str. eine Razzia veranstaltet hatten. Eichler war gerade vorbeigekommen und hatte sich für zwei polnische Frauen eingesetzt. Infolgedessen wurde er trotz heftiger Proteste mit auf die LKW-Ladefläche verladen und landete mit allen anderen im Keller des berüchtigten Gestapo-Gebäudes in der Schuch-Allee und bekam auch seine Tracht Prügel ab. Am Sonntag klärte sich die Sache auf, und er wurde freigelassen. – Als dann später die Razzien in der Stadt häufiger wurden, lief er wutschnaubend im Büro hin und her und zischte vor sich hin: „Diese Schweinehunde!" Manchmal legte er dabei an Lautstärke zu, vor allem wenn einer seiner Mitarbeiter oder deren Familienangehörige verhaftet, ins Lager verschleppt oder gar getötet wurden.

Ende 1943 wurde er nach Leipzig abberufen. Von dort aus schickte er mir einen langen Brief, in dem er berichtete, daß jetzt wegen seiner Haltung in Polen gegen ihn ein Ermittlungsverfahren eingeleitet worden war. Auch schriftlich nahm er kein Blatt vor den Mund. Einige Wochen später wurde ich von dem „posteigenen" Gestapo-Menschen verhört, der mich über den Inhalt dieses Briefes befragte und mich aufforderte, ihm diesen Brief zur Verfügung zu stellen. Das Verhör zog sich über zwei Stunden hin. Er versuchte mich vielfach einzuschüchtern, drohte mir mit einer auf dem Schreibtisch liegenden Peitsche und fummelte einige Male am Revolver in der Schreibtischschublade herum. Ich hatte Angst, blieb aber bei meiner Version, daß mir Eichler zwar geschrieben habe, allerdings lauter belanglose, private Dinge, unter anderem über Warschau, den Brief hätte ich aber nicht aufbewahrt. Der Gestapo-Mensch stellte mir eine Hausdurchsuchung in Aussicht, dazu kam es aber nie. Dennoch vernichtete ich sofort diesen Brief, nachdem ich wieder zu Hause angekommen war.

Das Ermittlungsverfahren gegen Eichler zog sich einige Monate lang hin. Als dessen Ergebnis wurde er zu neun Monaten KZ wegen ungebührlicher Polenfreundlichkeit verurteilt. Da das Urteil erst Anfang 1944 gefällt wurde, als die Niederlage Deutschlands sich immer deutlicher abzeichnete, wurde es umgewandelt: Eichler wurde an die Front geschickt und den Todt-Einheiten zugeteilt.

Eichler überlebte den Zweiten Weltkrieg und starb in Leipzig erst in den 60er Jahren.

Unter den Deutschen, die in der Bauabteilung der Post beschäftigt waren, gab es auch den Baumeister Mertin, der seine Sympathie und sein Mitgefühl für Polen offen bekundete. Er wurde 1943 nach Warschau geschickt und hatte mit uns oft dienstlich zu tun. Eines Tages blieb er an meinem Schreibtisch stehen und sagte: „Heute wurde mir in der Straßenbahn meine Pistole gestohlen, und zwar so geschickt, daß ich nichts davon merkte. Sicherlich war's einer von der Untergrundbewegung. Ach, sollen sie ihre Freude dran haben!"

Ich möchte noch den Lagerkommandanten von Burgweide bei Breslau erwähnen. Ich wurde in dieses Arbeitslager während des Warschauer Aufstands (1944) eingewiesen. Das Lager wurde regelmäßig von einer Kommission der Gestapo aufgesucht, deren Aufgabe es war, die Kartei der Gefangenen auf dem laufenden zu halten. Eines Tages sprach sich herum, daß sich jene, deren Familienangehörige in den ins Reich eingegliederten Gebieten leben, beim Lagerkommandanten Paul Winter melden können, allerdings nur, wenn diese Gestapo-Kommission nicht im Lager war. In einem solchen Fall wurde man unter Umständen vom Kommandanten an das zuständige Ortsarbeitsamt verwiesen und konnte so das Lager verlassen. Einigen soll dies gelungen sein. Als die Kommission wieder einmal das Lager verlassen hatte, begab ich mich zum Kommandanten und wurde von Winter tatsächlich an das Arbeitsamt in Bielsko (Bielitz) verwiesen und bekam dazu noch 20 Reichsmark Reisegeld. So konnte ich bis Kriegsende in der Nähe meiner Mutter bleiben. Das Reisegeld schickte ich Winter unter einem anderen Absender zurück, um ihn nicht in Schwierigkeiten zu bringen. Ich hatte die Entlassung Winter zu verdanken, was leicht zu beweisen ist. Denn als meine Mutter von mir aus dem Lager eine Nachricht über meinen Aufenthaltsort bekommen hatte, hatte sie sofort ein Gesuch eingereicht, in dem sie bat, mich zu entlassen und zur Arbeit in den Wohnort zu versetzen. Sie bekam aber eine Absage mit der Begründung, daß Lagerinsassen nicht einfach freigelassen werden könnten. Diese Absage traf bei uns ein, als ich schon wieder zu Hause war. Winter traf also solche Entscheidungen auf eigene Faust, auch wenn dies vielleicht nur in jenen Fällen möglich war, wenn der Gefangene von der Kommission noch nicht erfaßt worden war.

Janina Kmita-Stradecka
Warszawa

R. EUGEN ZAY

Im Oktober 1944 fand ich mit meiner ganzen Familie Zuflucht in Czarny Dunajec[1], wohin auch meine Tante, Halszka Trybułowa, nachgezogen ist.

Ich wickelte die nötigen Formalitäten in der Krakauer zahnärztlichen Kammer schnell ab und machte mich daran, eine zahnärztliche Praxis aus dem Boden zu stampfen. Mir wurde das wunderschöne Bauernhaus der Familie Anna und Michał Ligas zur Verfügung gestellt.

Eine Kollegin aus Kraków verhalf mir zu dem nötigen Material, meine Freundin, Irka (geb. Zygmunt) teilte mit mir ihre Ausstattung. Sie wohnte damals in Zawiercie, jenem Teil Polens, der ins Reich eingegliedert worden war. Wir trafen uns an der Grenze in Rabsztyn und sie übergab mir heimlich das zahnärztliche Werkzeug und Material.

Nach dem Warschauer Aufstand fanden sich in Czarny Dunajec recht viele Warschauer ein, u.a. das Personal des Warschauer Krankenhauses in der Litewska-Str., Artur Malawski mit seiner Frau und Władysław Kędra mit Frau. Meine Schwester Halszka wurde Bürgermeister genannt, weil sie stets hilfsbereit allen zur Verfügung stand. Halszka brachte es fertig, für Władysław Kędra ein Konzert zu veranstalten. Wie sie zu einem Klavier kam, ist nicht mehr festzustellen. Kędra spielte in unserem Wohnzimmer zur Probe den „Trauermarsch" und die „Revolutionsetüde" von Chopin. Obwohl das Klavier verstimmt war, konnten wir die Tränen nicht unterdrücken. Kędra versuchte dann in der Nacht, das Klavier zu stimmen.

Mit Genehmigung der deutschen Stellen konnte das polnische Konzert zustandekommen und fand in einem großen, bis auf den letzten Platz gefüllten Saal statt. Für den Eintritt wurden merkwürdige Preise entrichtet: Fett, Zucker, Mehl, Grütze, je nach dem, wer was und in welchen Mengen hergeben konnte. Die Hälfte der Einnahmen stellte Kędra anderen „polnischen Banditen" zur Verfügung.

Als ich dabei war, meine Praxis auf die Beine zu stellen, entging es mir völlig, daß ich verpflichtet war, meine Absicht auch bei dem

Kreisarzt in Nowy Targ zu melden. Ich begab mich erst nach einem Monat nach Nowy Targ. Dr. Zygmunt Rossowski, Stellvertreter des deutschen Kreisarztes fuhr mich barsch an und empfahl mir, aus Czarny Dunajec sofort zu verschwinden. Er reagierte überhaupt nicht auf meine Rechtfertigungsversuche. Er erklärte mir entschieden, daß der deutsche Kreisarzt vor kurzem eine Ärztin in die Wüste geschickt hatte, die ihre Praxis zwei Wochen später anzumelden versuchte. Als ich das Sprechzimmer verließ, war ich mit den Nerven fertig und tränenüberströmt. Ich suchte meine Bekannte, Frau Janina Ryłkowa auf, die in Nowy Targ eine Apotheke leitete. Sie kannte diesen Doktor Rossowski, weil er sich bei ihr oft Medikamente holte und stets von ausgesuchter Galanterie war. Sie ging mit mir noch einmal zu ihm. Die Art und Weise, wie wir empfangen wurden, überstieg alle unsere Befürchtungen. Auf uns prasselten alle Schimpfwörter nieder, deren er sich augenblicklich erinnern konnte. Zum Schluß setzte er uns mit einem überlauten „Raus"-Schrei vor die Tür. Im letzten Augenblick hielt er mich allein noch einmal zurück, ich hatte zwar keine Lust mehr, Frau Ryłkowa bestand aber darauf, daß ich bleibe. Ich mußte mir noch einmal anhören, welch ausgesuchte Peinlichkeiten in einem solchen Fall der deutsche Kreisarzt einem zumutet. Gott gab mir aber plötzlich die Idee ein, daß ich mich aus voller Determination heraus bereit erklärte, beim Kreisarzt selbst vorzusprechen. Diese Giftschlange von Mensch wollte mich davon unbedingt abbringen, ich blieb aber bei meinem Entschluß, weil ich ohnedies nichts zu verlieren hatte. Ich begab mich zunächst in die Apotheke zu Frau Ryłkowa, die mich mit Beruhigungstropfen traktierte und zu sich ins Zimmer einlud, in dem gerade ihr Sohn Staszek saß. Von ihm erfuhr ich, daß der deutsche Kreisarzt gar nicht in der Uniform herumzulaufen pflegte, sehr wenig Polnisch konnte, und daß er sich sonst bei den Leuten eines guten Rufs erfreut. Dies gab mir neuen Mut.

Ich war zu der festgesetzten Stunde an Ort und Stelle. Dieser Knilch Rossowski führte mich zum Kreisarzt und versuchte, mir noch im letzten Augenblick Angst zu machen und mich dazu zu bringen, daß ich Czarny Dunajec verlasse. Ich reagierte aber auf seine Rede mit keinem Wort. Vor der Tür des Kreisarztes legte er eine schleimerische Miene auf, glättete sein Haar und zupfte an der Krawatte. Er klopfte an, die Tür ging auf und wir traten ein. Vor uns stand ein großer, schlanker, junger Mann mit blondem Haar und einem freundlichen Gesichtsausdruck. Er trug einen grauen Anzug und – anstatt mir mit verbissener Miene entgegenzublicken, was zu befürchten war, lächelte er mir entgegen!!!

Indem er mich begrüßte, fragte er etwas unbeholfen auf Polnisch: „Was hast du für eine Not, mein Kind?" Er bat uns, Platz zu nehmen. Die Kröte Rossowski begann sofort übereifrig über meine Verschuldungen auf Deutsch zu referieren. Der Kreisarzt unterbrach ihn aber sofort und bat mich, das Anliegen auf Polnisch darzulegen. Als ich fertig war, verzog er die Miene und radebrechte auf polnisch: „Nicht gut verspäten." Er fragte mich aber, ob ich verheiratet bin und Kinder habe. Ich erzählte ihm, daß ich in Czarny Dunajec mit Mutter, Mann und meiner zweijährigen Tochter bin. Ich zeigte ihm gleich ein Foto, auf dem meine Mutter, meine Tochter und eine kleine Katze mit aufrecht gestelltem Schwanz abgebildet waren. Er sah sich das an und fragte: „Tochter blond? Und blaue Augen?" Ich nickte eifrig.

Der Kreisarzt war einmalig nett. Er fragte, wie ich mit der Praxis zurechtzukommen gedenke und lobte meine Tapferkeit. Der freche Knilch Rossowski fing an, sich anzubiedern, indem er säuselte: „Ich habe es Ihnen doch gesagt, daß der Herr Kreisarzt eine Seele von Menschen ist." Der Kreisarzt diktierte seiner Sekretärin sofort ein Schreiben, las es anschließend durch, unterschrieb es und meinte, ich solle mir noch in der Kanzlei einen Stempel holen. Ich war mit den Nerven am Ende und brach in Tränen aus, diesmal vor lauter Rührung. Der Kreisarzt sagte zu mir: „Nicht weinen, schade Augen!" Beim Abschied faßte ich mit beiden Händen seine Hand fest und sagte vor lauter Dankbarkeit erfüllt: „Ich danke Ihnen sehr, ich werde es Ihnen nie vergessen."

Ich verließ das Zimmer mit der üblen Type Rossowski, der mir gleich hinter der Tür zu meinem seltenen Glück gratulierte. Zum Abschied streckte er seine Hand aus, die leer in der Luft hängen blieb, weil ich mich sofort umdrehte und wortlos zur Kanzlei ging. Ich fragte die dort angestellte Polin, wie der Kreisarzt heiße, weil ich ihn so toll finde. Sie bestätigte meine Meinung und sagte mir, daß er Dr. Eugen Zay heiße und Österreicher sei.

Am 30. Januar 1945 wurde Czarny Dunajec von der IV. ukrainischen Armee eingenommen. Ich behandelte viele Soldaten und legte zahlreiche Verbände an. Sie zogen alle nach Berlin „ubijat gitlerowskawo zwiera" (nazistische Tiere von Menschen zu töten). Ich schärfte ihnen allen nur eines ein: „Dies könnt ihr tun, laßt nur Dr. Eugen Zay in Ruhe!"

Jerzy Koperkiewicz
Kutno

SIE SCHÄMTEN SICH, DEUTSCHE ZU SEIN

Während des Zweiten Weltkrieges war ich Landarbeiter in dem Gut „Pełna", das in der Gemeinde Błonie bei Kutno gelegen war. Ich war Zeuge, wie einige Deutsche Unglaubliches geleistet haben, um Polen zu helfen.

Sie hießen: Beneckie (Gendarm, Österreicher), Celler (Kommandant der Gendarmerie, Österreicher), W. Dasch (Eisenbahner, Deutscher), F. Sznytzler (Gutsinhaber, Deutscher). Keiner von ihnen konnte auch nur ein Wort Polnisch. Sie kommunizierten ausschließlich mit Hilfe von Dolmetschern. Sie haben alle erklärt, daß sie dazu leben, um anderen Gutes zu tun. Sie waren gegen den Nationalsozialismus und die von ihm eingesetzten Mittel. Sie schämten sich, Deutsche zu sein. Sie warnten und schützten meine Familie und viele andere Menschen vor der Zwangsaussiedlung. Sie halfen, wo sie nur konnten und riskierten dabei oft ihr Leben. Herr Dasch transportierte z.B. die polnische Untergrundpresse.

Sie alle sagten Hitlers Niederlage voraus, und zwar bereits zu jener Zeit, als seine Macht noch ungebrochen war. Sie hatten nicht das geringste Verständnis für seine Methoden der Machtausübung. Sie nannten die Nazis stets nur „Barbaren" des 20. Jahrhunderts.

Sie holten meinen Onkel aus dem Gefängnis in Radogoszcza heraus (er wurde für seine Zugehörigkeit zur polnischen Untergrundarmee AK festgenommen). Dem anderen Onkel konnte nicht rechtzeitig geholfen werden, er wurde erschossen. Sie pflegten Umgang hauptsächlich mit Polen, die Deutschen mieden sie geradezu, wofür sie mit Ausschluß aus der Partei bestraft wurden. Über ihr weiteres Schicksal weiß ich nichts, ich habe sie aber bis heute in dankbarer Erinnerung behalten.

Ich kannte noch einen anderen guten Deutschen, der Balbninsky hieß. Obwohl sein Name einen polnischen Klang hatte, war er ein Deutscher. Er war in Krośniewice bei Kutno Leiter des Arbeitsamtes. Jene, die die Besatzungszeit erlebt haben, wissen, welche Macht ein solcher Beamter hatte. Leiter der Arbeitsämter sollten für den Nachschub von billigen Arbeitskräften für Deutschland sorgen. Ich weiß nicht, wie er zu seinen Vorgesetzten stand, sie hatten aber sicherlich keinen Grund, mit ihm besonders zufrieden zu sein. Die ganze Zeit der Besatzung, solange er lebte, half er den Polen und schützte sie vor Zwangsarbeit in Deutschland.

Ihm war zu danken, daß weder ich noch zwei ältere Brüder und eine Schwester nach Deutschland verschleppt wurden. Er starb 1943, fast zusammengebrochen über die Grausamkeit seiner Landsleute und angesichts des Leids, das er mitansehen mußte, ohne sich damit abfinden zu können.

In dem oben genannten Ort Krośniewice lernte ich einen anderen Deutschen kennen, der ebenfalls ein großartiger Mensch war. Sein Vater war Verwalter auf dem Gut von Graf Rembeliński. Er selbst hieß Karol Piotrowski und war Deutscher, obgleich auch sein Name rein polnisch klang. Er schämte sich für die Deutschen und half Polen, wo er nur konnte. Er besuchte oft meinen Vater und führte mit ihm lange Gespräche. Oft erklärte er, daß die Deutschen den Krieg verlieren müssen, weil ein Machtsystem, das auf Gewalt und Übermacht aufgebaut ist, nicht von Bestand sein kann. Er zweifelte keinen Augenblick lang daran, daß Polen und andere unterdrückte Völker ihre Unabhängigkeit wieder gewinnen würden.

Seinen Worten folgten Taten. Zur Wehrmacht eingezogen, floh er im Osten zu der polnischen Armee über, mit der er dann bis nach Berlin zog, um „für eure und unsere Freiheit" zu kämpfen.

In der Kriegszeit arbeitete ich auch in der Zuckerfabrik Ostrowy bei Kutno. Es war eine schwere Arbeit und ich war erst 17. Ich schleppte mich fürchterlich mit den schweren Säcken ab und schwitzte wie irre. Einmal kam ein Deutscher namens Peschel auf mich zu und sagte: „Dies ist nichts für dich; du bist noch zu jung dafür". Er übernahm diese Arbeit und löste mich nunmehr täglich für 4–6 Stunden ab, ohne daß er seine eigene Arbeit hätte ruhen lassen können.

Im gleichen Ort kannte ich noch einen anderen Deutschen, er hieß Lazar und war Oberförster. Er kümmerte sich um polnische Arbeiter und englische Gefangene, die aus einem Offizierslager geflohen waren. Für die letzteren besorgte er Zivilkleidung und half ihnen, sich nach Warschau durchzuschlagen. In dieser Angelegenheit (sicherlich aber nicht nur in dieser) arbeitete er bestimmt mit der polnischen Untergrundarmee AK zusammen.

Vor meinen Augen spielte sich auch diese Begebenheit ab, die sich mir sehr tief eingeprägt hat. In Dąbrowiec bei Kutno veranstalteten die Deutschen eine „Verbeugungsstunde". Sie sammelten eine Gruppe Polen zusammen und befahlen ihnen, sich vor den Deutschen zu verbeugen. So ging es recht lange zu, wobei die Polen bis zur Bewußtlosigkeit geschlagen und getreten wurden. Für die geringste Verfehlung – eine nicht hinreichend tiefe Verbeugung oder eine zu stolze Haltung – schlugen sie mit Fäusten, und was sie sonst zur Hand hatten, auf die Polen ein. Dazu kam eine ältere deutsche Frau, die in dem Ruf stand, eine stramme Genossin (NSDAP-Mitglied) zu sein. Sie hieß Fetting. Da sie diesen Anblick nicht ertragen konnte, fiel sie bewußtlos um. Nachdem ihr ein Arzt Hilfe geleistet hatte, ging sie auf einen der ranghöheren Schergen zu und schmiß ihm das Parteibuch ins Gesicht. Sie sagte, sie möchte mit den Barbaren des 20. Jh. nichts zu tun haben.

Ihre Töchter, was ich erst später erfuhr, arbeiteten bei der Post und verhielten sich ebenfalls recht anständig. Sie gingen vielen Polen bei Kleinigkeiten zur Hand, waren vor allem aber bei der Verschickung von Paketen an die ins Reich verschleppten polnischen Zwangsarbeiter behilflich.

Es gab also recht unterschiedliche Deutsche. Ich vergesse dabei nicht ihre Verbrechen, man muß aber auch das Gute sehen können. Ich möchte auch an die Worte von Kardinal Primas Wyszyński erinnern, der sagte, daß man nicht ewig im Haß leben darf.

Pater Alfons Kotlewski
Gomunice

PAPIERZUTEILUNG

Unser Priesterseminar, das für die Diözese Tschenstochau in Krakau Kleriker ausbildete, wurde von den Deutschen von der Skałka am Wawel in die Szpitalna-Str. ins Kloster der Hl.Geist-Schwestern verlegt. Der damalige Regens und spätere Bischof Dr. Stanisław Czajka schickte zwei Kleriker – Władysław Sobczyk (derzeit Pfarrer in Sosnowiec) und mich – mit einem Schreiben versehen – los, um bei den Behörden eine Zuteilung für Papier und Säcke zu erwirken. Wir begaben uns in ein Hochhaus am Szczepański-Platz und landeten im 7. Stock. Der Gang war voll Menschen, welche eine Zuteilung von Zigaretten, Wodka u.ä. ergattern wollten. Urplötzlich ging mit einem Krach eine Tür auf und ein hünenhafter Deutscher in Uniform platzte in den Gang heraus und stieß mit ganzer Kraft den Befehl aus: „Alle raus hier!"

Alles zerstob. Nur wir zwei rührten uns nicht von der Stelle und murmelten den Akt vollkommener Reue für die Stunde des Todes vor uns hin. Der Deutsche drehte sich um und erblickte uns zwei, er lächelte und fragte, was wir wollen. Wir streckten unser Schreiben vor. „Ja, bleibt nur ruhig." sagte er, drückte einen Stempel drauf und reichte uns dieses Schreiben zurück. Wir kriegten eine Zuteilung für 1000 kg. Papier. Er gab uns zu verstehen, daß wir hier nicht mehr herumtrödeln, sondern uns gleich ins Büro begeben sollten.

Eine Woche später waren wir wieder da. Wieder wurde ein Stempel auf unser Schreiben gedrückt und wir bekamen wieder 1000 kg Papier, das damals Goldeswert hatte.

Janina Kwiecińska
Warszawa

„DU KANNST POLNISCH REDEN"

Nach der Niederschlagung des Warschauer Aufstandes wurde ich aus Warschau zwangsausgesiedelt. Nach vielen Zwischenstationen landete ich als Zwangsarbeiterin auf dem Flughafen in Mülheim an der Ruhr. Nachdem der Flughafen zerbombt worden war, verlegte meine Obrigkeit ihre Quartiere drei Kilometer weiter in ein Elisabethinerinnen-Kloster. Dort beruhte meine Arbeit darauf, Fußböden aufzuwischen und Fenster zu putzen.

In diesem Kloster war die Kirche aktiv; und es gab außer den Nonnen auch einen Priester. Ich wollte beichten gehen, konnte aber kein Deutsch. Ich trat in den Beichtstuhl und konnte nur so viel sagen, daß ich kein Deutsch spreche. Der Priester antwortete mir: „Du kannst polnisch reden". Ich fragte ihn, ob er denn ein Pole sei. Er sagte mir, daß er zwar ein Deutscher sei, aber eine Zeitlang in der Gegend von Posen verbracht habe und daher Polnisch könne. Er war schon ein alter Priester, er nahm sich später nicht nur meiner an, sondern half auch den anderen Polinnen. Er gab uns polnische Bücher zu lesen, über die wir uns freuten, obwohl sie uralt waren, z.B. über Pater Skarga, der im 17. Jh. starb. In den Büchern war jeweils der Name des Besitzers herausgeschnitten.

Er tröstete uns mit Nachrichten, daß hier bald die Amerikaner einmarschieren würden. Wenn er mir aber auf dem Klosterhof begegnete, sprach er mich nur auf deutsch an. Er hieß Leopold Nordheim.

Im Kloster arbeiteten auch einfache Frauen, die kochten und putzten. Sie versorgten mich zunächst nur mit Frühstück, dann später auch mit Mittagessen. Ich bekam von ihnen einen Rock, Schuhe und Taschentücher geschenkt. Sie führten mich manchmal auch ins Bad, was unter jenen Umständen ein ganz außergewöhnlicher Komfort war. Wenn ich nach der Putzarbeit die Mülleimer hinaustrug, steckten sie mir Brot zu, welches ich dann an italienische und russische Gefangene verteilte, die vor Hunger im Müll nach Eßbarem herumstocherten.

Nachdem die Amerikaner dieses Gebiet besetzt hatten, richtete der Priester seine Sorge auf die polnischen Zwangsarbeiter im Ruhrgebiet, die nun befreit waren. Er veranstaltete Gottesdienste für sie und nahm die Beichte ab.

Anna Lachmann
Strzebiń

UNTERRICHT IN PATRIOTISMUS

Ich kann von Glück sprechen, daß ich mit 16 Jahren als Haushaltshilfe in die Familie dieses deutschen Obersten der Schutzpolizei kam. Er war eine Zeit lang Besichtigungsoffizier im Gefangenenlager in Lamsdorf. Nachdem er von einer seiner ersten Visiten im Lager zurückgekehrt war, machte er einen sehr bedrückten Eindruck. Vor seinem nächsten Besuch im Gefangenenlager kam er mit seinem Dienstranzen in die Küche und ließ mich einen Laib Brot in Scheiben schneiden und in der Tasche verstauen. Dieses Brot steckte er dann heimlich den gefangenen Russen und Polen zu. Das Haus dieser Familie stand etwas abseits. Es kam besonders am Sonntag nachmittag vor, daß sich hungrige Ausländer heranwagten und um Brot baten. Wir richteten für sie schnell Lebensmittelpakete zusammen und reichten sie zum Fenster hinaus. In diesem Haus war man der Meinung, daß auch ein Feind Mensch sei.

Jedesmal, wenn ich in die Stadt ging, war es mir peinlich, daß ich den Buchstaben „P" (Pole) aufgenäht tragen mußte. Als der Oberst merkte, wie's mir peinlich war, sagte er: „Ich werde dafür Sorge tragen, daß du und deine Eltern von dieser Pflicht befreit werdet. Denk aber bitte daran, daß Reymont und Sienkiewicz, wären sie noch am Leben, auch diesen „Winkel" auf der Brust hätten tragen müssen." In ihrer Hausbibliothek hatten sie viele Werke polnischer Autoren in Übersetzung. Ich schreibe diese Erinnerung in der Absicht nieder, mich bei jenen Menschen zu bedanken, die mir wie meine Eltern und Lehrer gezeigt haben, was Nächstenliebe und was Patriotismus sind.

Mieczysław Latosiński
Giebło

WIR ESSEN ZUSAMMEN

1942 kam ich mit 18 Jahren als Zwangsarbeiter nach Österreich. Ich wurde nach Großdorf zugeteilt. Dort begegnete ich großartigen Menschen. Sie ersetzten mir die Familie und die Heimat. Dies bekam ich vom ersten Augenblick an zu spüren. Nachdem ich angekommen war, setzten sie mir ein Mittagessen vor. Ich wollte ihnen mit Gesten zu verstehen geben, daß ich sehr ausgehungert bin und nicht so viel auf einmal essen kann. Sie waren sich aber nicht sicher und holten einen Polen, der an der Schule deutsch gelernt hatte und der ihnen mein Problem erklärte.

Einmal kam ein Gendarm vorbei und sagte, daß ein Pole nicht am gleichen Tisch mit einer deutschen Familie essen und sich nicht im gleichen Raum aufhalten darf. Ich sagte dem Bauern, daß ich mich gern füge. Darauf antwortete er mir: „Michael, wir werden zusammen essen und zusammen sitzen." Und so kam es auch. Am Sonntag ging ich mit ihnen in die Kirche. Ich lernte einen Priester kennen, der die Beichte auf polnisch entgegennahm. Dieser Priester gab mir zunächst die hl. Kommunion, dann lud er mich zum Frühstück ein. Er war früher Feldkaplan in Polen gewesen. Er war für mich ein Geschenk des Himmels.

Auf diesem Wege möchte ich mich bei jenen Menschen bedanken, denen ich in Österreich begegnete, unter denen ich vier Jahre lang lebte und Verständnis für meine Sehnsucht nach meiner Familie und meinem Land fand. Viele Jahre später schickten sie mir eine Einladung, damit ich sie besuche. Nach so vielen Jahren haben wir noch Kontakt miteinander. Dieses Stück polnisch-österreichischer Freundschaft war ein Werk Gottes.

Sławomir Lipski
Warszawa

GUTEN ABEND, LIEBE FAMILIE

Im Dezember 1944 kam ich (damals 14) mit meinen Eltern zur Untermiete in einer Villa in Komorowo bei Warschau an. Wir wurden aus der Stadt vertrieben und verloren fast unser ganzes Hab und Gut. Durch eine seltsame Fügung des Schicksals wurden schon früher aus der Stadt einige Dinge für den Ferienaufenthalt hinausgebracht. So konnten z.B. ein Grammophon (mechanisch betätigt) mit Schallplatten und ein Kreuzständer für den Weihnachtsbaum gerettet werden. Uns wurde aber nicht beschert, Weihnachten zu feiern, weil die Bevölkerung in dem Villenviertel plötzlich aufgefordert wurde, die Häuser zu verlassen. In das leere Haus quartierten sich sofort deutsche Soldaten einer Funkeinheit ein. So begaben wir uns wieder auf die Suche nach einer Unterkunft. Endlich fanden wir Aufnahme in einer kleinen kalten Stube im Dorf Komorów. Wir konnten in der Eile nur das Allernötigste hinüberschaffen. Die Mutter entschloß sich aber, auch den Rest unserer kümmerlichen Habseligkeiten aus der Villa zu holen. Sie nahm mich mit und holte die Sachen auch tatsächlich heraus, hauptsächlich dank erstaunlicher Freundlichkeit eines sehr intelligent aussehenden deutschen Offiziers. Als wir die Villa schon verlassen wollten, erinnerte sich die Mutter plötzlich noch an den Kreuzständer für den Weihnachtsbaum, der irgendwo herumliegen mußte. Der freundliche Deutsche fragte sie, was sie so fieberhaft suche, worauf ihm die Mutter radebrechend erklärte, es handle sich um einen belanglosen Gegenstand, von dem man nicht einmal weiß, ob er zu den kommenden Feiertagen genutzt werden könne. Der Deutsche verblüffte uns mit dem Vorschlag, nach diesem Kreuzständer zu suchen, und, falls er unauffindbar bleiben sollte, einen neuen zusammenzubasteln. Er bat uns um unsere neue Adresse, die ihm die Mutter zögernd angegeben hat.

Es kamen Weihnachten, jedoch ohne einen Weihnachtsbaum, weil wir in der Enge keinen Platz mehr für ihn gehabt hätten. Am Samstag (Vigil des Weihnachtsfestes fiel 1944 auf einen Sonntag) legte meine Mutter ein paar mit einem weiß-roten Band verbundene Kiefernzweige auf den Tisch, wir entzündeten Kerzen, brachen miteinander die Oblate und setzten uns zu einem bescheidenen Weihnachtsabendmahl. Aus dem mit einer Kurbel aufzudrehenden Grammophon ertönten leise Weihnachtslieder. Plötzlich zuckten wir vor Schrecken zusammen: Wir hörten das wohlvertraute Geräusch der Soldatenschuhe und ein paar an unseren Wirt gerichtete deutsche Worte – jemand fragte nach uns. Bald klopfte es an unserer Tür. In der Tür stand eine Gestalt in feldgrauer Uniform, sagte aber mit sanfter Stimme: „Guten Abend, Familie Lipski!" Es war der uns bereits bekannte Soldat mit einem funkelnagelneuen Kreuzständer unter dem Arm. Wir bezwangen schnell unsere Angst, zumal auch der Soldat verlegen wurde, als er seine Wirkung merkte. Er fing an, sich zu entschuldigen, er habe nicht vermutet, daß er so unpassend komme, weil ihm nichts von der Sitte bekannt gewesen sei, das Weihnachtsmahl vorzuziehen. Er wolle übrigens nur diesen Ständer übergeben, sagte er und wendete sich zur Tür. Ich erinnere mich noch ganz genau daran, daß wir einen Augenblick lang sehr mit uns selbst gerungen haben, weil eingedenk der uralten polnischen Gepflogenheit am Weihnachtsabend auch der ärgste Feind zu Tisch eingeladen werden soll, da es ein Versöhnungstag ist. Mein Vater, der noch am besten von uns allen deutsch sprach, lud den Gast höflich zu Tisch ein. Dieser zögerte einen Augenblick lang, entschloß sich aber, sichtlich froh und erleichtert, zu bleiben und sagte: „Gut, vielen Dank, ich setze mich kurz." Er schnallte das Koppel ab, legte es weg und setzte sich. Zwischen dem Gast und meinem Vater ergab sich bald ein lebhaftes Gespräch. Der Gast war Funkingenieur und stammte aus – wohl – Hammern bei Stuttgart. Sie unterhielten sich über die Vorkriegszeit, über das Paris jener Zeit, das sie beide gut kannten. Der Deutsche zeigte sich sehr sympathisch und ehrlich. Wir vergaßen fast alles, was uns – Sklavenvolk – von der Herrenrasse trennte. Ich nahm meine Tätigkeit des „Schallplattenwechslers" wieder auf. Nach einigen polnischen Weihnachtsliedern kam die „Stille Nacht" dran, gesungen von dem berühmten polnischen Sänger aus der Vorkriegszeit, Mossakowski (die Platte habe ich mir übrigens bis heute aufgehoben). Als dieses Lied ertönte, passierte etwas völlig Unerwartetes: Unser Gast verstummte, legte sein Gesicht in die Hände und konnte die Tränen nicht mehr unterdrücken. Gleich darauf fing er an, schnell in abgehackten Sätzen zu sprechen, von der Grausamkeit des Krieges, von der Trennung von seiner Frau und dem kleinen Sohn, die vielleicht inzwischen in einem der Bombenangriffe umgekommen sind. Wir sahen noch bestürzter zu, als der Gast an seiner aufgeknöpften Uniform zu zerren begann und schimpfte. „Verfluchte Jacke, verfluchter Krieg, verfluchter Hitler!" Er fuhr fort: „Wozu so viel Blut geflossen, wozu so viel Haß. Warum müssen wir uns hassen, wenn wir doch Freunde hätten sein können. Ich fühle mich so wohl bei Ihnen, mit Eurer Familie, warum kann ich nicht bei meiner sein? Alle haben ein Recht auf Freiheit und Freundschaft. Ich hasse den Krieg. In meinem letzten Brief nach Hause schrieb ich meiner Frau, sie solle es meinem Sohn verbieten, auch nur ein Spielzeug in die Hand zu nehmen, das an das Militär erinnert."

Es ergab sich aus dem Gespräch, daß sich Ing. Schröder (oder war's Schmidt, ich weiß den Namen nicht mehr genau), vor dem Militärdienst so lange herumdrückte, wie's nur möglich war. Er wollte kein Offizier sein. Zu diesem Zweck unterschlug er sein Diplom und gab sich als Techniker aus. Die gemeinsame Zeit verstrich schnell. Der Gast warf einen schnellen Blick auf die Uhr und stellte fest, daß er schon länger weggeblieben war, als es erlaubt war. Er würde sich etwas einfallen lassen müssen, denn Kontakte mit der Bevölkerung des Generalgouvernements waren verboten. „Auf Wiedersehen, liebe Familie", sagte er zum Abschied. „Ich komme bald wieder auf einen Sprung vorbei." Er schnallte das Koppel um und trat in die Dunkelheit hinaus. Wir haben ihn nie wieder gesehen.

Nach ein paar Tagen sprach sich blitzschnell herum, daß die Deutschen die Villen verlassen und diese von Plünderern ausgeraubt werden. Die Besitzerin jener Villa, in der wir ein Zimmer gehabt hatten, kehrte in ein kahlgeraubtes Haus zurück, wir zogen ihr nach. Alles war weg, die Wände leer, die Plünderer ließen sogar Stühle mitgehen, um sie wohl zu verheizen. Auf dem Fußboden lagen noch Fetzen und Papierreste herum, darunter etwas Buntes. Ich hob es auf, es war eine Karte mit der Abbildung der vier Evangelisten von Albrecht Dürer (ich habe sie bis heute). Auf der Rückseite war ein Gedicht „Zur Kriegsweihnacht 1944".

Ich weiß nicht, ob Ing. Schröder/Schmidt den Krieg überlebt und seinen Sohn je wieder gesehen hat. Wenn er noch am Leben ist, dann ist er ein alter Mann. Die anderen Teilnehmer an dieser denkwürdigen Weihnachtsabendmahlzeit, meine Eltern, leben längst nicht mehr. Ich würde den Bericht über den Weihnachtsabend 1944 so gern dem Sohn von Herrn Schröder/Schmidt vermachen und ihm sagen: „Ihr Vater war es, und einige andere, die ihm gleich waren, die die Ehre eures Volkes gerettet haben."

Andrzej Madeyski
Warszawa

GEORG NAVE

In der Besatzungszeit während des Zweiten Weltkriegs haben die deutschen Behörden Georg Nave als Direktor des Kurorts Krynica Zdrój eingesetzt. Er war früher Direktor in den Kurorten Warmbrunn (Cieplice) und Cannstatt. Nave erwies sich bald als ein Mensch, der in diesen schwierigen Zeiten Polen nach Möglichkeit geholfen hat. Wincenty Spiechowicz gab in seiner Arbeit „Żegiestów Zdrój w pierwszym stuleciu swego istnienia 1846–1946„. „Die ersten hundert Jahre von Żegiestów Zdrój – 1846–1946] (Manuskript, 1976) über Nave auf Seite 266 folgendes Zeugnis: „Georg Nave, der damalige Kurortdirektor rettete Freiheit und Leben zahlreicher Polen, die von der Gestapo verhaftet worden waren. Einer der Erretteten behauptet, daß Nave ein für die damalige Zeit gerechter, freundlicher und hilfsbereiter Mensch war." Die Frau eines in Krynica bekannten Frauenarztes und Balneologen M.D. legte nach seinem Tod folgenden schriftlichen Bericht vor: Ihr Mann wurde bei der Gestapo wegen Hilfeleistung an Polen, die illegal die Grenze zu Ungarn überschreiten wollten, angezeigt und daraufhin von der Gestapo verhaftet. Er mußte qualvolle Verhöre in Nowy Sącz über sich ergehen lassen. Nave setzte sich für ihn ein und erwirkte bei Krüger in Krakau zunächst eine Linderung der Haftbedingungen, dann seine Freilassung. Aus dem gleichen Bericht geht hervor, daß Nave auch Frauen, deren Männer, Angestellte des Kurortes, in das Konzentrationslager Auschwitz verschleppt worden waren, mit Lebensmittelkarten und anderen Zuteilungen geholfen hat. Ich verfaßte den obigen Bericht über Nave aufgrund von Informationen, die ich in Krynica aus erster Hand, also von Menschen, die dort den Krieg erlebt hatten, gewinnen konnte. Ich selbst lernte Nave im Jahre 1962 in Driburg kennen, wo er ebenfalls Kurortdirektor war. Er zeigte sich damals sehr zuvorkommend als Organisator meiner sechsmonatigen Studienreise durch deutsche Kurorte.

Georg Nave wurde am 18. Juli 1901 in Sobieszów (Niederschlesien) geboren und starb am 10. September 1979. Er wurde als Kurdirektor in Driburg und Vorsitzender des Kurortverbandes in Nordrhein-Westfalen gewürdigt.

Kazimierz Majdański, Bischof
Szczecin-Kamień

DIES IST EIN ZEUGNIS DES KZ-HÄFTLINGS NR. 22 829

Warum wird dieses Zeugnis unter einer Nummer abgelegt? – Die Nummer war wichtig. Im KZ Dachau, wie auch in anderen Konzentrationslagern, zählte die Nummer, nicht der Mensch. Häftlinge waren angewiesen, sich stets mit ihrer Nummer zu melden. Die Formel lautete: „Nummer ... meldet sich gehorsamst zur Stelle!" Die Herrscher diesseits des Lagertores wollten nichts weiter wissen.

Die Nummer war wichtig und die Anzahl. Wir wurden immer wieder gezählt. Wenn die Zahl der Häftlinge nicht stimmte, wurden die Nummern überprüft. Und stimmte die Zahl weiterhin nicht, so ging es erst recht los. Uns ist das Drama des Häftlings Nr. 16 670 aus Auschwitz bekannt, dem allerdings am Höhepunkt des Geschehens dann doch noch die Frage gestellt wurde: „Wer bist du?". Das ungewöhnliche Menschsein jenes Häftlings hat die in den KZs übliche Denkungsart nach Nummern durchbrochen. Der Mensch, der in diese fürchterliche Entmenschlichungsmaschine geraten war, mußte sich nicht zwangsläufig fügen.

Die Nummer war somit auch aus diesem Grunde wichtig, weil sie für uns eine Herausforderung war: Der auf eine Nummer reduzierte Mensch durfte sich nicht zur Nummer degradieren lassen. Maksymilian Kolbe, Nr. 16 670, mittlerweile heiliggesprochen, gilt als Patron der geretteten Menschenwürde.

Diese Menschenwürde blieb vielen erhalten. Sie wurde von einigen sogar hochgehalten. Dies trifft gewiß auf jenen „Gerechten" zu, von dem nun die Nummer 22 829 Zeugnis ablegen will. Dieser Gerechte hieß Heini Stöhr, auch nur eine Nummer. Ich weiß nicht, ob er jemals das Evangelium gelesen hat, er erwies sich aber als ein solcher, der im Evangelium hochgepriesen wird.

Ich muß über ihn einiges berichten, will aber zunächst etwas über das KZ Dachau in den Jahren 1942–43 vorausschicken. Wir brauchen einen Hintergrund. Wichtig ist auch zu unterstreichen, daß Heini keine Einzelerscheinung war. Gott sei Dank nicht!

1

Der Herbst 1942 löste im KZ Dachau einen ganz fürchterlichen Sommer ab. Es war ein unheimlich heißer Sommer gewesen, eine Zeit sich endlos hinziehender Tage voll Schwerstarbeit, zu der die ausgehungerten Häftlinge eigentlich nicht mehr fähig waren, die sie aber – von rücksichtslosen Kapos angetrieben – zu leisten hatten. Die Häftlinge fielen wie die Fliegen um, vor allem in der Mittagshitze auf dem Appellplatz. Auch mit Wasser begossen, kamen sie nicht immer zu sich. Es wurde massenhaft gestorben. Von früh bis spät getrieben, erfuhren wir vom Tod eines guten Bekannten, oft aus dem gleichen Lagerblock, nicht selten erst nach Tagen.

Der hereinbrechende Herbst brachte keine Hoffnung mit sich. Ganz im Gegenteil, zu den üblichen Schikanen und Folterungen kam eine neue Komponente hinzu. Die von Mann zu Mann weitergereichten „Parolen" (so wurden die Lagergerüchte genannt) flößten uns einen neuen Schrecken ein: Es hieß, daß an den Häftlingen medizinische Experimente vorgenommen werden sollten. Die „Parolen" enthielten keine genauen Angaben, hörten sich geheimnisvoll an und verbreiteten Grauen.

2

Die Arbeit in der „Kommando Plantage" war zu jeder Zeit sehr beschwerlich. Im Herbst setzte den Häftlingen der Regen zu, die Lagerkluft war bald durchnäßt, wir zitterten vor Kälte.

In den ersten Novembertagen waren wir in unserer Gruppe (lauter Geistliche, nur der Kapo war Laie, übrigens ein guter Pole) damit beschäftigt, die Gladiolenzwiebeln aus der Erde zu klauben. Wir arbeiteten in der nassen Erde mit bloßen Händen.

Nach der Rückkehr ins Lager, am späten Abend des 10. November 1942, erlebten wir eine grausame Überraschung. Wir mußten uns in einer Reihe aufstellen, ausnahmsweise in der Baracke, und der Oberkapo Zimmermann (vom Lagerkrankenhaus) nahm eine genaue Musterung vor. Zimmermann war Schlosser von Beruf, wurde aber im Lagerkrankenhaus (Revier) oft „Chirurg" genannt, er gehörte zu der Lagerprominenz. Er suchte sich nach unerfindlichen Kriterien Häftlinge aus, deren Nummern er sofort aufschreiben ließ.

Es waren Menschen unterschiedlichen Alters, ich war der jüngste unter ihnen. Ich war erst Kleriker, und obwohl mit abgeschlossenem Studium, noch nicht zum Priester geweiht. Uns wurde gesagt, daß alle aufgeschriebenen Nummern am nächsten Tag beim Morgenappell aufgerufen würden und sich dann im Lagerkrankenhaus zu melden hätten

Nach dieser Mitteilung machte sich Zimmermann auf und davon. Niemand hat es laut ausgesprochen, dennoch wußten alle, was los war, es ging um Experimente. In der Baracke kehrte eine seltsame Stille ein. In mir setzte sie sich bleiernschwer fest.

Meinem Vertrauensmann, Pater Stefan Biskupski, der mein ehemaliger Theologieprofessor war, legte ich leise und verschüchtert dar, wie ich meine Lage einschätzte. Er teilte meine Meinung. Ich bat ihn, im Falle meines Todes dafür zu sorgen, daß meine Familie Mitteilung bekam. Ich schenkte ihm auch meinen Schatz – die zwei oder drei Schnitten Brot, die ich mir eingetrocknet aufbewahrt hatte.

3

Am nächsten Tag kam es wie angekündigt. Beim Appell wurden die betreffenden Nummern aufgerufen und ins Krankenhaus geschickt. Dort wurden wir den ganzen Tag verschiedenen Untersuchungen unterzogen. Es ging wahrscheinlich darum, die für die Experimente am wenigsten geeigneten auszuschließen. Zum Schluß blieben wir zwanzig übrig.

Auf Mutmaßungen angewiesen, konnten wir nichts Sicheres erfahren. Wer hätte sich denn die Mühe geben sollen, die Nummern aufzuklären!

Nach den Untersuchungen wurden wir zwanzig in einem Raum des Reviers untergebracht, – alle gesund und alle zu etwas verurteilt, wozu aber, das wußte keiner von uns.

Wir durften losen. Häftling Nr 22 829 zog das Los mit der Aufschrift „18B“, was mir nichts sagte. Was für eine Grausamkeit verbarg sich hinter der Bezeichnung „18B“? Die Zahl 18 bedeutete nur, daß ich der achtzehnte in der Reihe war, „B“ stand aber, wie ich später in Erfahrung brachte, für „Biochemisch“, im Gegensatz zu „A“ (allopathisch). Wir wurden in zwei Zehner-Gruppen aufgeteilt. Es war äußerst wichtig, in welche Gruppe man hineingeraten war, denn den „B"-Häftlingen wurden Tabletten verabreicht, von deren heilender Wirkung man sich erst überzeugen wollte. Die „A"-Gruppe bekam hingegen „Tibatin", ein bereits bewährtes Mittel. Aus den später sichergestellten Protokollen über diese Versuche war zu ersehen, daß die anderen Tabletten gar keine heilende Wirkung zeigten und daß sie im Gegenteil sogar schädlich waren. Daher war die Zahl der Todesfälle überdurchschnittlich hoch.

4

Nachdem die Verlosung abgeschlossen war, wurde man einzeln abgeführt. Die Nummer 18 hatte lange zu warten, aber auch sie kam an die Reihe. Sie wurde in einen OP-Raum geführt und hörte den Befehl „Hinlegen – auf den OP-Tisch. „

Ich lag zum ersten Mal auf einem OP-Tisch. Der Eingriff war kurz. Ein junger SS-Offizier stach schmerzhaft in meinen rechten Schenkel hinein. Es mußte eine riesige Spritze gewesen sein. Im Protokoll war dann nachzulesen: 3 ccm Phlegmona.

„Aufstehen!"

Auf dem Rückweg begleitete mich der Krankenpfleger Hermann. Er verhielt sich aber anders, er war sehr aufmerksam. Warum eigentlich? Nach der schmerzhaften Spritze spürte ich nichts weiter. Bald wurde mir alles klar. Im Krankenzimmer angelangt, hörte ich kein Wort mehr, nur noch Stöhnen. Der Eingriff zeigte prompte Wirkung, bald stellte sie sich auch bei mir ein. Ich legte mich ins Bett mit der Bezeichnung „18B" – für mehrere Monate, wie es sich zeigen sollte.

Uns wurde nach und nach der Ernst unserer Lage bewußt. Nach einigen Stunden starb das erste Opfer der Experimente – ein junger tschechischer Priester, der sich neben einem holländischen Pastor aus unerklärlichen Gründen in unsere Gruppe „verirrt" hatte, denn die Versuchsgruppe sollte ausschließlich aus polnischen Priestern bestehen.

Wir wurden Tag und Nacht von vier Krankenpflegern überwacht. Die erste Nacht hatte „mein" Pfleger Dienst – der junge, großgewachsene und kraftstrotzende (auch solche „Prominenz" gab es im Lager), vor allem aber sehr freundliche Hermann. Mit der Zeit zeigte sich, daß auch die anderen Pfleger freundlich zu uns waren.

Auch die Laboranten, die uns regelmäßig besuchten, waren uns wohlgesinnt. Sie waren politische Häftlinge wie wir, was an den angenähten „Winkeln" zu erkennen war.

5

Nachdem Hermann seinen Rundgang um alle Betten abgeschlossen und jedem die vorgeschriebene Arznei verabreicht hatte, kam er noch einmal auf mein Bett zu – ganz offenbar mit einem wichtigen Anliegen. „Du bist hier der jüngste, und noch kein Pfaffe", sagte er, „glaubst du denn wirklich an Gott?. Ich bin 19 und NSDAP-Mitglied, die Partei hat mir den Glauben an Gott ausgetrieben, glaubst du, daß es den gibt?"

Mir fiel es nicht leicht, zu reden. Dazu auf deutsch. (Ich lernte Deutsch von Kind an, bin aber mit dieser Sprache nie fertig geworden.) Am nächsten Tag sprach mich ein älterer Priester aus der Posener Gegend an: „Du sprichst so miserabel deutsch, warum läßt du dich dann auf eine solche Diskussion ein?" Hermann wollte aber eben nur mit mir reden. Ich war überzeugt, daß es meine absolute Pflicht war, mit ihm zu sprechen.

Um Mitternacht war Hermanns Dienstzeit vorbei. Auch das Gespräch fand sein Ende. Das Licht wurde ausgemacht. Es brannte nur ein kleines, rotes Licht über der Tür, ich habe es heute noch vor Augen.

Plötzlich wich alle Kraft von mir. Ich versuchte, mich aufzuraffen und aufs Klo zu gehen (mein Bett stand an der Tür zur Toilette). Ich spürte keinen so großen Schmerz, daß ich hätte stöhnen müssen, ich hatte nur auf einmal keine Kraft mehr. Die Pfleger wußten, wie es um mich stand. Als ich am nächsten Morgen verlegt wurde, trugen sie mich, zu meinem Erstaunen, sehr behutsam. Als sie mich aber auf den Strohsack aufsetzen wollten, war ich weg, ich schaffte es nicht mehr, aufrecht zu sitzen. Sie sprangen auf mich zu, um mir zu helfen, weil sie sahen, daß „18B" bewußtlos zusammengesunken war.

Ich dachte oft an dieses Gespräch mit Hermann zurück. Es gab von seiner Seite keinen zweiten Versuch. Wenn es zwischen uns einen Kontakt gab, dann einen außersprachlichen – er fühlte mit, was einem hünenhaften jungen Deutschen nicht ohne weiteres zuzutrauen war, der durch die Versuchsstation schritt, als ob er zu groß wäre, um wahrzunehmen, was ihm seine Augen boten. Auch war er der Jüngste. Er hatte sich in weit größerem Maße als die anderen die Frage zu stellen: „Was habe ich denn hier verloren?"

Sein Mitgefühl war aber keine reine Einbildung. Er war wirklich mitfühlend, und zwar in einem Maße wie kein anderer Pfleger. Irgendwie spürte er, wann der Schmerz sich so steigerte, daß für Linderung gesorgt werden mußte. Als ich ihn fragte, ob die Schmerzmittel mich nicht abhängig machten, antwortete er kurz: „Nein!"

6

Das Gespräch mit Hermann löste eine ganze Folge von Diskussionen auf der Versuchsstation aus. Die Anlässe waren sehr verschieden. Da war einerseits die Sorge um einen kranken Menschen, an dem experimentiert wurde, und andererseits die Frage nach der Existenz Gottes, die heiß diskutiert wurde.

Die Bandbreite war groß. Es gab wortlose Bezeugungen der Nächstenliebe und nie ausgesprochene eiskalte Gleichgültigkeit.

Letztere kehrten vor allem die Mitglieder der ärztlichen Kommission hervor. Heini und „seine" Pfleger sorgten für Ausgleich. Darüber will ich gleich etwas erzählen.

Unser Blockältester Zier, an dem ich einmal im Gang auf meinem Rollstuhl vorbeigeschoben wurde, zeigte sich absolut kalt und abweisend, als ich ihm freundlich entgegenlächelte.

Heini war eher schweigsam, aber sehr aufmerksam und um uns besorgt.

Aber nicht von Heini bekam ich den wichtigsten Rat. Es war Hermann, der mir zum Abschluß unseres ersten Gespräches sagte: „Die Spritze war sehr gefährlich. Die Versuche sind eine Zumutung. Wenn man überleben will, muß man Lebenswillen haben und glauben, daß es möglich ist, zu überleben. Da liegt ein Kommunist, den wir unbedingt retten wollen. Alles umsonst, denn er selbst bringt nicht den Glauben auf, daß Hitler verlieren wird. Er will nicht mehr leben."

Ganz anders reagierte ein guter Freund von mir, der sich wie durch ein Wunder auf die Versuchsstation eingeschlichen hatte (noch bevor ich die Spritze verpaßt bekam) und sagte: „Es ist ganz gut, daß du da bist, die Arbeit auf der Plantage ist jetzt unheimlich schwer!"

Die Gespräche mit Franz waren keine emotionslose Erörterung der Frage nach der Existenz Gottes, sie waren vielmehr ein hartes Ringen um Gott.

Auf der Versuchsstation wurden sie eingeleitet und fanden dann später außerhalb der Station auf der „Lagerstraße" ihre Fortsetzung. Wir haben sie in der Regel in aller Ruhe, aber konsequent geführt. Jeder zeigte sich offen für Argumente der Gegenseite. Franz wollte immer neue geboten bekommen.

Nach einer gewissen Zeit dämmerte es mir allmählich, daß es ihm dabei letztlich doch nicht auf die Argumente ankam. Fehlte ihm die Gnade des Glaubens? War er es, der ihn leichtfertig aufgegeben hatte? War er sich dessen bewußt? Er erzählte mir über den Einsatz im Spanischen Bürgerkrieg, über Menschen, die ihm Vorbild waren und von seinem Mädchen, das er angehimmelt hatte. Es hatte ihn mit einem ihm unvergeßlichen, aber „keuschen" Kuß verabschiedet – so hat er es selbst voll Bewunderung für ihr Ehrgefühl geschildert.

Viel später, als 1945 zaghaft der Frühling anbrach, sah ich Franz durch unser großes Krankenzimmer gehen, welches voll war von jenen, die das Fleckfieber überstanden hatten (dies war auch eine Seuche in Dachau, die unglaublich viele Opfer unter jenen gefordert hat, die sich bis dahin gehalten hatten). Franz kam zu Besuch, er war nicht mehr auf unserer Station, er war Kapo im Krankenhaus eines der Nebenlager geworden.

Er hat mich nicht wiedererkannt, auch dann nicht, als ich ihn mit schwacher Stimme beim Namen „Franz!" rief. Er kam auf mein Bett zu, nahm verblüfft meine Krankengeschichte in die Hand und sagte nach einer Weile: „Du hast das Fleckfieber überstanden! Und dies nach Abschluß dieser Experimente... Schier unglaublich... Ihr Polen seid eine harte Sorte! Und jetzt wirst du vielleicht noch behaupten wollen, daß dich Der da oben gerettet hat!" – Und er wies mit dem Finger zum Himmel.

Diese Unfähigkeit zu glauben, hat mich erschüttert. Ein so guter Mensch. Er und Heini haben mich gerettet.

Ich versuchte, mit ihm ins Gespräch zu kommen. Ich sagte ihm auch: „Siehst du, Franz, unsere Priester begaben sich auf die Fleckfieberstation, weil sich die Deutschen vor Angst von dort abgesetzt haben. Viele von ihnen werden erkranken, zahlreiche werden sterben!"

„Die Guten werden sterben, die Gauner werden's überstehen, um weiter ihr Unwesen zu treiben" – war seine Antwort.

Ich war hilflos. Kein Argument kam an. Worte vermochten nichts zu bewirken. Der Widerstand war mit nichts zu brechen. Dieses Geheimnis der menschlichen Seele wurde bereits im Evangelium beschrieben, und dennoch war man in Konfrontation damit immer aufs neue überrascht.

Ich wende mich hiermit an meine Leser – betet für Franz, wie könnte ihm anders geholfen werden?

Wir hatten viel Kontakt mit einem eher kleinen, schlanken und kahlen Laboranten, der jeden zweiten Tag auf der Station Blut zur Untersuchung abnahm. (Er wird es gewesen sein, der später Heini alarmierte, daß ich von Sepsis bedroht war.) Er war in seiner Lebensphilosophie Agnostiker. „Der Mensch ist ein merkwürdiges Wesen", pflegte er zu sagen. Einmal fuhr er fort: „Als mein Hund verendet ist, war ich nicht zu trösten. Als ich hingegen hier im Lager die Nachricht vom Tod meines Bruders bekam, der in einem anderen Lager gestorben war, ließ mich das unberührt."

Wir haben nie lange miteinander diskutiert. Er hatte die Gewohnheit, etwas einfach vor sich hin zu sagen, als ob er keine Antwort erwartete. Da er aber nun einmal sprach, rechnete er vielleicht doch mit einer Antwort. Er war sehr geschickt und genau bei der Arbeit. Er legte auch eine große Freundlichkeit an den Tag.

In der Regel war das Personal freundlich zu uns. Wenn sie auf uns einredeten, daß wir den Priesterberuf aufgeben sollen, meinten sie es nicht böse, sie hatten überhaupt keine Vorstellung von der priesterlichen Berufung. Als sie Pater Czesław Sejbuk (Redakteur der Zeitschrift „Misja Katolicka") damit aufzogen, daß er als Jesuit zur „päpstlichen Gestapo" zähle, haben sie ihn nicht verhöhnen wollen. Es war ihre Art, zu scherzen. Pater Sejbuk reagierte nicht darauf, er sprach fast gar nichts, er lächelte nur ab und zu. Er war in einem schlimmen Zustand: gestorben ist er daran, daß er sich wundgelegen hatte.

Uns stand der Sinn nicht nach Spaß. Auf der Versuchsstation machte man Schlimmes durch, oft wurden Operationen vorgenommen (Pater Kasjan Wolak aus dem Kapuzinerorden wurde siebenmal operiert; nicht anders erging es den Patres Bączyk und Suski), viele starben dahin. Dennoch gab es im Lagerkrankenhaus eine kleine Spur von dem, was man als Gesellschaftsleben bezeichnen würde. Ganz selten einmal gelang es einem Häftling von der Baracke, sich bei uns auf Besuch einzuschleichen. Öfters gelang dies unseren Zimmernachbarn, Priestern, die zu der fünften Versuchsgruppe zählten. Sie hatten es ein bißchen leichter, deshalb kam es vor, daß einer von ihnen, in eine Decke gehüllt, bei uns erschien, um etwas zu erzählen und Nachrichten auszutauschen.

Der polnische Missionar Pater Gitschel, der den Zimmerdienst verrichtete, sprach mit uns selten über unseren gesundheitlichen Zustand. Er war in jeder Not stets behilflich, und machte nie viel Aufhebens davon. Er war auch unser Beichtvater.

Es gab auch Beispiele echter Nächstenliebe.

Gegen Ende des Jahres 1942 wurde uns plötzlich erlaubt, Lebensmittelpakete entgegenzunehmen. Eine für das Hungerlager sensationelle Entscheidung. Es trafen auch bald die ersten Pakete ein, auch bei uns auf der Versuchsstation. Ende Dezember bekam mein Bettnachbar, Pater Leopold Biłko, ein Lebensmittelpaket. Pater Gitschel mußte es ihm auspacken. Biłko raffte alle seine Kraft zusammen, um den Inhalt aufzuteilen. Keiner fragte, woher all diese Hungergestalten plötzlich aufgetaucht waren, und wie sie davon erfahren hatten – vielleicht wurden sie vom Geruch des einfachen Brotes angelockt. Pater Biłko verteilte den ganzen Inhalt mitsamt seiner Freude an dem Paket. Zum Schluß sagte er zu mir: „Für uns ist kaum etwas übriggeblieben.“ Nach einer kurzen Überlegung fügte er hinzu: „Weißt du, wir hatten im Priesterseminar einen Spiritual, der immer sagte, wenn es dir leid tun wird, dich von etwas zu trennen, verschenke es am besten gleich.“

Heini hat nicht nur mich gerettet. Nach der Befreiung zeigte es sich, daß er auch Pater Biłko vor dem Tod bewahrt hatte. Ein Samariter half dem anderen Samariter.

Auf der Versuchsstation spielten sich mysteriöse Dinge ab – bisweilen aber auch großartige Dinge.

Heini war eher schweigsam. Er stand mit uns in intensivem Kontakt, indem er ständig für uns sorgte. Es gab keinen Arzt, der die Waagschale zu unseren Gunsten hätte ausschlagen lassen. Die Ärzte betraten unseren Raum, der von Leid überquoll, mit absoluter

Gleichgültigkeit. Sie plauderten dabei von vollkommen belanglosen Dingen. Wir waren für sie nur ein paar „Nummern", einfach Versuchskaninchen. Heini war um uns Menschen besorgt, er ließ sich von Beweggründen leiten, die ihm den höchsten Einsatz wert waren.

Es war keine „Gefühlsduselei" dabei, vielmehr die sachliche Sorge einer Mutter. Er warf uns jeweils nur einen schnellen Blick zu, war sehr wortkarg, und schimpfte ausgiebig nur über die widerspenstige Phlegmona. Er umsorgte alle und achtete auf die Disziplin bei anderen Pflegern.

Er machte keine Umstände, war ein sehr einfühlsamer Pfleger (obwohl er angeblich vor dem Krieg Handwerker war), machte sich nie über Religion lustig (was im Lager gang und gäbe war) und hielt sich mit seinen Anschauungen zurück. Es wurde ihm nachgesagt, daß er Sozialist war.

Heini hatte stets ein besorgtes Gesicht – so habe ich ihn immer vor Augen.

Unser Dialog der guten Taten schlug in dem wichtigsten Augenblick, als Leben und Tod auf dem Spiel standen, in einen kurzen Wortwechsel um. Und da traten die wahren Beweggründe an den Tag. Bald will ich darauf näher eingehen.

7

Die Versuche zogen sich fünf Monate lang hin. Die erste Phase verdient vielleicht etwas mehr Aufmerksamkeit.

Jeder Tag war eine Geschichte für sich. Uns war von Anfang an nicht zum Lachen zumute. Die Lage war ernst. Dies bezeugte auch die „hohe Kommission" mit Sturmbannführer Schütz an der Spitze. Die Kommission zählte eine Menge Leute, zumeist SS-Offiziere; es war auch ein ziviles Mitglied dabei, angeblich ein Medizinprofessor aus Berlin. Sie besuchten uns täglich. Schütz diktierte, und ein österreichischer Häftling, Pater Steinkelderer, schrieb alles sorgfältig auf. Die hohe Kommission verweilte einmal bei der Nummer „18B" etwas länger. Es wurde am Oberschenkel ein großer Entzündungsherd festgestellt. Die Empfehlung lautete: „Nicht inzidieren, warten und beobachten – die nächsten acht Tage lang." Es wurde gewartet. Das Versuchstier mußte es ebenfalls. Dann wurde doch inzidiert. Nachdem ich aus der Narkose aufgewacht war, hatte ich das Bein in einer Schiene. Ein Haufen Lignin auf dem Bein stellte den Verband dar. Beim ersten Verbandswechsel (dies geschah zunächst mit ins Wasser getauchtem Bein) hatte ich die Möglichkeit, Drains zu Gesicht zu bekommen, und konnte mich überzeugen, welchen Aufwand es kostet, diese innerhalb der Muskeln einzulegen. Der Verbandswechsel war eine Tortur. Ich sah sogar die SS-Leute wegblicken. Es tat höllisch weh.

Ich spürte Schmerzen, allein schon wenn jemand am Bett vorbeiging, weil der Boden leicht erzitterte. Immer wieder wurde die Warnung ausgesprochen, daß der Eiter nicht in den Organismus gelangen dürfe, weil auch die geringste Menge davon tödlich sein konnte.

Die Phlegmona wollte nicht weichen. Ich wurde noch zweimal inzidiert. Ich weiß nicht einmal, wer diese Eingriffe durchführte und ob diese SS-Männer überhaupt Chirurgen waren. Ich weiß, daß erst der dritte Eingriff von einem Chirurgen vorgenommen wurde, es war ein polnischer Arzt, ebenfalls Häftling, Dr. Czarkowski. Die Sterblichkeitsquote im Krankenhaus stieg dermaßen an, daß man dann endlich Ärzte-Häftlinge im Revier zuließ. Es war ein großer Fortschritt.

Stets war aber Heini mit und bei uns. Ich erinnere mich noch daran, wie er mich nach der schmerzhaftesten Operation wieder ins Bewußtsein weckte. Er lächelte und sprach sanft auf mich ein, er versuchte, mich zu trösten. Sonst war er ernst und wortkarg.

8

Neben mir litten und starben andere Schicksalsgenossen, Mitglieder der Gruppe III. (Bald haben wir herausbekommen, daß wir die Gruppe III sind. In der Gruppe I waren nur Juden, davon sind alle gestorben; in der Gruppe II waren Schwerverbrecher, von denen nur zwei überlebt haben). Ich wurde der Bettnachbar von Pater Biłko, nachdem mein bisheriger Bettnachbar, Józef Kocot, Philosophieprofessor am Priesterseminar, von starkem Schüttelfrost gequält, gestorben war. Unsere Betten waren mit den Kopfenden aneinandergerückt. Unter dem Kopfkissen meines Bettnachbarn lag eine kleine Blechdose mit dem Allerheiligsten. Es war unsere tägliche Nahrung. Es wurde auch regelmäßig gebeichtet.

Dafür sorgte unser „Zimmerdienst", Pater Gitschel. Er verrichtete im übrigen alle Dreckarbeit und tat dies ohne Murren, um so die Beichte abnehmen und das Allerheiligste verteilen zu können.

Ich erinnere mich an einen Sonntag bleierner Stille. Es war jener Sonntag, an dem der heldenhafte holländische Pastor Tundermann im Sterben lag. Sämtliche Versuche, etwas dagegen zu tun, brachten keinen Erfolg. Der Fall wurde dem diensthabenden SS-Mann gemeldet. Er kam, ließ den Körper des Sterbenden freilegen. Der ganze Körper war wachsgelb. Ich sah es deutlich, weil der Wagen mit dem Kranken an meinem Bett stand. Heini schlug „Tibatin" vor, vielleicht wäre er so noch zu retten. „Was ist das für eine Gruppe?", wurde zurückgefragt.

„Gruppe B". – „Dann so lassen", kam es zurück.

Der sinnlose, verbrecherische Versuch mußte bis zu seinem schrecklichen Ende fortgesetzt werden. Nur weisungsgemäß handeln, das war das oberste Gebot.

Es kam aber Sand in das Getriebe. Es heißt ja: „Eure Wege sind nicht meine Wege."

Das weisungsgemäße Handeln wurde durch Angst gestört, die Angst der Kommission vor einer Epidemie. Wenn man wahllos hinmordet, lernt man den Wert des eigenen Lebens höher schätzen. Im Lager brach die Fleckfieberseuche aus. Die Kommission sah sich von ihrem Auftrag suspendiert.

Bald darauf ereilte uns die Nachricht über Stalingrad. Wir traten in das Jahr 1943 ein.

Mir ging es wie sonst, seit ich, polnischer Kleriker, am 11.11. (gerade an diesem polnischen Nationalfeiertag) ans Bett gefesselt worden war. Ich war nicht verzweifelt – es gab für mich noch Gott. Ich verspürte das starke Bedürfnis zu beten. Dies überkam mich mit besonderer Intensität vor Operationen und Inzisionen. Das waren immer kleine Abschiede von der Welt. Vor der dritten und risikoreichsten Operation gelang es den Mithäftlingen, Pater Steinkelderer zu holen, der mir – schon auf dem Krankenwagen – das Sakrament der Krankensalbung spendete.

Während meiner Betrachtungen bat ich die Muttergottes, mich zu erretten. Ich versprach, zu Ihr nach Tschenstochau zu wallfahren. Das waren Träume, die ich aus meinem Glauben heraus träumte. Mein Zustand hat sich nicht weiter verschlechtert. Die hohe Kommission ließ sich seit einiger Zeit nicht mehr blicken.

9

Einige Tage nach Neujahr trat Heini an mein Bett und schimpfte unmäßig auf die Phlegmona. Bald ging er wieder und kam in Begleitung von Franz noch einmal zurück. Nachdem sie sich kurz beraten hatten, legten sie mich auf einen Krankenwagen und überführten mich auf eine andere Station in unmittelbarer Nachbarschaft. Verantwortlich für diese Station war ein junger Tscheche, Zdenek Zamecnik, dem Heini ganz offenbar vertraute.

Die Übergabe wurde aber mit einem kurzen Wortwechsel eingeleitet. Eigentlich sprach nur Heini, die anderen hörten zu. Er sagte zu mir: „Du bist schlecht dran. Du bist von Sepsis akut bedroht. Ich möchte dir helfen, deine Aufgabe wird es aber sein, den Mund zu halten. Wenn die Sache rauskommt, werde ich um den Kopf kürzer gemacht, und du wirst es auch nicht überleben."

„Daß ich schweige, ist todsicher. Sag mir nur, wie die Chancen stehen, das möchte ich nämlich wissen."

„Wir wollen es mit ‚Tibatin' versuchen, das Zeug zeigte sich sonst wirksam. Du kriegst es in Form von Injektionen verabreicht. Gleich kriegst du die erste."

Das war die ganze Verhandlung, sofort wurde gehandelt.

Ein kurzer Wortwechsel kann über Leben und Tod entscheiden. Ich kriegte viele Spritzen bei absoluter Verschwiegenheit der Beteiligten. Auf der kleinen „Versuchsstation" brach betretenes Schweigen aus, als mir nach unzähligen Verbandswechseln die Schiene abgenommen wurde – als wäre ein Wunder geschehen.

Insgesamt blieb ich noch lange auf der Versuchsstation, aber es herrschte Ruhe, leider durch die Seuche erkauft.

Es fanden auch keine Kontrollen mehr statt. Diese waren nicht ohne Grund zu fürchten, denn sie erstellten Listen von „Invaliden", die in die Gaskammer gebracht wurden. Es hatte seine Logik, denn wer wollte es schon riskieren, Zeugen dieser grausamen Experimente am Leben zu lassen.

Und doch haben einige überlebt, denn „eure Gedanken sind nicht meine Gedanken".

10

Die Erretteten sagten 1975 im Zeugenstand in München die ganze Wahrheit aus. Auch ein polnischer Bischof tat es, dennoch hat er dem Verbrecher Schütz (der mittlerweile ein hochgeschätzter Arzt in Essen-Bredeney war) vor dem versammelten Publikum alles verziehen. Hatte das Publikum Grund zu staunen? Hätte der Bischof anders handeln können?

Hiermit, 42 Jahre später, wird aber auch ein ganz anderes Zeugnis abgelegt, ein Zeugnis für Heini. Wie stehen sich die beiden gegenüber: Heini und Dr. Schütz. Zwei Menschen, und welche Bandbreite an Möglichkeiten!

Ich wollte nach dem Krieg Heini unbedingt noch einmal sehen. Es ist mir nicht mehr gelungen. Jetzt schicke ich ihm diese Worte nach: „Was immer ihr einem dieser meiner geringsten Brüder getan habt, das habt ihr mir getan..."

Und der andere? Es sei mir verziehen, daß ich noch einmal darauf zurückkomme. Nicht, weil ich Kontrasteffekte brauche. Ich bin vielmehr auf der Suche nach der Wahrheit über den Menschen. Im Gerichtssaal wollte Dr. Schütz meine Hand nicht loslassen, als ich ihm sagte: „Wir sollen uns wieder in die Augen blicken!" Er flüsterte immerfort: „Ich mußte es tun, ich mußte es tun. Ich tat viel weniger, als von mir verlangt wurde..."

Gehört der Verbrecher nicht zu den armseligsten Wesen auf dem Erdball? – Darüber kann nur die Barmherzigkeit Gottes urteilen.

„Dives in misericordia" bietet uns ein Stück Wahrheit, das auf unsere äußerst verworrene und vom gigantischen Ringen zwischen Gut und Böse gezeichnete Zeit zugeschnitten ist.

„Was immer ihr einem dieser meiner geringsten Brüder getan habt, das habt ihr mir getan..." Dr. Schütz sagte sich reuevoll von seiner Vergangenheit los. Heini verdiente es mit Recht, zu den Gerechten gezählt zu werden. Das Evangelium sagt dazu folgendes:

„Da werden ihm die Gerechten antworten: ‚Herr, wann sahen wir dich krank oder im Gefängnis und kamen zu dir?' Und der König wird ihnen antworten und sprechen: ‚Wahrlich, ich sage euch, was immer ihr einem dieser meiner geringsten Brüder getan habt, das habt ihr mir getan..." [Mt 25,39].

Und wer will nun ernsthaft bestreiten, daß es eine große Gnade ist, einmal im Leben der „geringste Bruder" zu sein?

Pater Józef Majkowski SJ
Warszawa

EIN FRÜHSTÜCK AUF HITLERS KOSTEN

Ende März 1942 wurde ich in Wilna in „Łukiszki", einem schlimmen Gefängnis für Schwerstarbeit, eingesperrt. Mit mir zusammen waren alle Ordensmänner und – frauen eingesperrt, die von den Nazis nach der Auflösung der Klöster verhaftet worden waren. Ich selbst, ein Jahr nach der Priesterweihe, wurde mit Pater Stefan Dierżek, damals noch Scholastiker, auf der Straße vor dem Jesuitenkolleg verhaftet, als ich nach der zelebrierten Messe auf dem Weg vom „Sterbenden-Herz-Jesu-Kloster" nach Hause war. Das erste Schimpfwort, das gleich bei der Verhaftung auf unsere Köpfe geschleudert wurde, war die Feststellung: „Noch zwei Teufel!". Die Haftbedingungen waren ausgesprochen schwierig. Wir kamen in einen im Winter unbenutzten Flügel. Die Heizung funktionierte nicht, die Heizkörper waren mehrfach geplatzt. Ich wurde bei einer Außentemperatur von -13 °C verhaftet. Zu essen bekamen wir 160 Gramm Brot pro Tag, früh eine warme Suppe, zu Mittag und abends ebenfalls „Suppe", deren wohl einziger Bestandteil Wasser war. In der Zelle funkelte uns von den Wänden und vom Fußboden eine dicke Schicht Reif und Eis entgegen.

Meine Bekannten nahmen Kontakt zu dem deutschen Jesuiten Pater Fulst auf, um ihn zu bitten, daß er durch seine Bekannte unter den Gestapo-Leuten in Kowno wenigstens dies durchsetzt, daß die älteren und schwerkranken Patres rausgeholt werden, bevor sie im Gefängnis sterben. Pater Fulst wurde nahe gelegt, daß er in seiner Intervention auf die ungünstige Wirkung verweisen solle, die die Nachricht vom Tod der Jesuiten in Wilna hätte. Pater Fulst sollte auch vorschlagen dürfen, daß wir weit hinaus in das litauische Land verbannt werden sollten, um dort zu sterben, ohne daß davon jemand Notiz nimmt. Als es so weit war, willigten die gerade angetrunkenen Gestapo-Leute in den letzteren Vorschlag ein und zeigten sich bereit, sechs alte Patres und zwei jüngere, aber schwerkranke, weit ins Land hinaus zu verbannen. Von drei Litauern eskortiert, brachen wir in Richtung Pagryżuwis, (nicht weit von Rosień) über Kowno und Szawle zur Bahnstation Cytowiany (litauisch Tytuvenai) auf. In Pagryżuwis im ehemaligen Schloß der Familie Romer, hatten die litauischen Jesuiten ihr Noviziat. Dort sollten wir interniert werden. Wir fuhren in Wilna früh weg (die Gestapo ging auf dem Bahnhof auf eine Gruppe Polen los, die – auf welchem Wege auch immer – von unserem Abtransport erfahren hatten und kamen, um uns noch einmal wenigstens aus der Ferne zu sehen). Als wir um 11 Uhr abends in Kowno angekommen waren, stellte sich heraus, daß der Zug nach Szawle vor ein paar Minuten abgefahren war und der nächste Anschluß erst in 24 Stunden möglich war. Und da begegneten wir einem „guten Deutschen", einem Bayern, der katholisch war, obgleich im Rang eines Majors. Er war einer der Bahnhofsvorsteher in Kowno. Er fragte uns, woher wir kämen und zeigte nicht das geringste Interesse für die Erklärungen der Litauer, die darauf hinweisen wollten, daß wir verhaftet sind. Als der litauische Offizier ihm begreiflich machen wollte, daß jeglicher Kontakt mit Häftlingen verboten sei, wurde er von dem Major unheimlich scharf angefahren. Er schickte unsere Wächter in die Stadt weg und hieß sie, sich erst eine Viertelstunde vor der Abfahrt zu melden. Er nahm sich unserer an und erteilte uns ein paar Ratschläge, sowie handfeste Hilfe. Wir waren verdreckt und unrasiert, in verknitterten und fleckigen Soutanen und Mänteln. Er machte uns klar, daß wir uns als erstes in Ordnung bringen müssen, denn sonst würden die Menschen auf dem Bahnhof tatsächlich den Eindruck gewinnen, wir seien Verbrecher. Niemand empfinde Mitleid mit einem heruntergekommenen Menschen, zumal wenn's eine Gruppe ist. Und gerade darauf komme es den Nazis an. Er sagte, er hole uns Schlüssel für die Baderäume der Offiziere und schicke uns einen Frisör. Wir sollen auch unsere Sachen schnell waschen, die Wäsche in den Trocknern trocknen lassen und er würde uns in zwei Stunden abholen.

Als wir uns in der Bahnhofshalle wieder sahen, war es drei Uhr früh und der Major sagte: „Jetzt werden wir auf Kosten Hitlers frühstücken!" und lud uns in eine geräumige Offizierskantine ein, in der bereits ein paar Offiziere saßen. Er bestellte für uns Brot mit Margarine und schwarzen Kornkaffee, denn dies war das zum Frühstück vorgeschriebene Menü. Dann begleitete er uns in die Halle hinaus und sagte: „Zu Mittag lade ich Sie auf meine Kosten ein, weil ich von Hitler keine Genehmigung habe, Fremde zu Mittag zu verköstigen". Beim Mittagessen war er die ganze Zeit mit uns. Als am Nachmittag Dienstablöse kam, bat er laut seinen Ersatzmann: "Besorge den Patres ein eigenes Abteil. Du siehst ja, wie geschafft sie sind. Und schuldig sind sie in gleichem Maße, wie du und ich. Verbiete den litauischen Begleitern ausdrücklich, daß sie dieses Abteil betreten, damit die Patres unter sich bleiben und etwas ausruhen können." Dann schüttelte er uns allen die Hand, salutierte zum Abschied und ging.

Łucja Mazurkiewicz
Ostrzeszów

DER LETZTE KRIEGSWEIHNACHTSABEND

Die Besatzungszeit dauerte mit unverminderter Schärfe an. Mit tausend anderen Menschen wurde auch ich vor die östliche Frontlinie getrieben, um dort Gräben auszuheben. Ich war noch ein sehr junges Mädchen, bekam aber bereits die ganze Härte des Lebens zu spüren. Wir wurden in einem baufälligen Wirtschaftsgebäude eines Gutes in Rudniki einquartiert. Drinnen war nichts mehr als Stroh auf dem Fußboden zum Schlafen. Wir schliefen so eng beieinander, daß es in der Nacht schwierig war, sich einmal umzudrehen. Ratten huschten über uns hinweg. Aus der Ferne ertönte das Geknatter der Maschinengewehre an der Front, die mit jedem Tag näher rückte.

Abends bekamen wir Brot und Marmelade für den ganzen Tag zugeteilt. Zu Mittag gab es noch eine Suppe. Es waren Arbeitsbedingungen wie in einem Lager. Wir wurden von Kapos beaufsichtigt, die sehr aufpaßten, daß sich keiner eine Rastpause gönnt. Ich war noch zu jung und zu schwach, um mit den Älteren mitzuhalten.

Dort hatten wir auch Weihnachten zu feiern. Es gab nichts, was uns auch nur fern an dieses Fest denken ließ. An diesem Tag empfand man die Trennung von zu Hause besonders schmerzlich. An diesem Heiligen Abend hatten wir's wie im Stall in Bethlehem. Eine der Kolleginnen bekam ein bißchen trockene Bohnen, die wir zum Weihnachtsabendmahl zu kochen beschlossen.. Wir stachen feuchten Torf und brachten ihn unter größten Mühen in einem Tonofen zum Brennen. Wir kochten unsere Speise in einer Waschschüssel in ungesalzenem Wasser und in Gedanken weilten wir bei unseren Familien. Unser Domizil hätte jener Stall sein können, in dem Jesus, der Erlöser der Welt, geboren wurde. Und Er kam auch zu uns an diesem Abend.

Plötzlich ging die Tür auf und unser Kapo trat ein, was nichts Gutes zu bedeuten hatte, insbesondere dann, wenn er um diese Zeit erschien. Uns lief es kalt den Rücken herunter, und wir blickten uns erschrocken an. Ihm entging nicht, daß wir etwas kochten. Helles Entsetzen packte uns, als er mit dem Stock die obere Schüssel, die als Deckel diente, herunter stieß und in die Kochschüssel hineinblickte. Wir hatten Angst, daß er auch noch unseren eigentlichen „Kochtopf" umstößt und unsere Weihnachtsspeise wegschüttet. Dieser Stock hatte darin Übung. Nicht selten kippte er einer von uns die Mittagssuppe um. Diesmal sagte und tat der Kapo nichts, sondern kehrte um und ging raus. Wir atmeten erleichtert auf, allerdings nicht zu energisch, weil er sich das noch anders hätte überlegen können.

Er kam eine Viertelstunde später zurück. Wieder fuhr ein Schrekken in uns. Diesmal gab er allerdings einen Ton von sich und befahl uns, zu unserem Chef, einem SA-Offizier ins Gut hinüberzukommen. Weshalb, sagte er uns nicht. Eingeschüchtert folgten wir ihm und traten ein. Der Raum war sauber, warm geheizt und hell erleuchtet. Ein Riesenunterschied zu unserem Schuppen.

Im Gang stand der Chef, der uns mit einer Handbewegung nötigte, ins Wohnzimmer zu treten, in dem seine Familie versammelt saß. Im Zimmer fiel der erleuchtete Weihnachtsbaum ins Auge, über dem Tisch hing ein Adventkranz, an dem die letzte Kerze niederbrannte. Wir wußten von der bei uns in Polen unbekannten deutschen Sitte, Adventkränze aufzuhängen, an denen an jedem Adventsonntag eine Kerze mehr – und am Heiligabend die letzte entzündet wurde.

Wir wurden zu Tisch gebeten und zum Essen ermuntert. Uns kam dies so unwirklich vor, wie ein Traum. Unser Kapo erstattete nämlich dem Chef Meldung darüber, daß wir in einer Waschschüssel trockene Bohnen kochten. Am Heiligen Abend rührte sich ganz offenbar etwas in unserem Chef, daß er uns zu Tisch bat, anstatt uns zu bestrafen. Einmal mehr siegte an diesem Abend das Licht über die Finsternis, das Gute trug einen Sieg über das Böse davon und die Liebe besiegte den Haß.

Das waren die letzten Weihnachten der Besatzungszeit. Ich behielt sie aber fürs Leben in Erinnerung. Jedes Jahr denke ich an diese Begebenheit zurück und an diese Wahrheit, daß am Heiligen Abend auch der ärgste Feind Bruder werden kann, eben in dieser Nacht, in der Gott zur Welt kommt. Ich danke Dir Gott für dieses Erlebnis und bitte Dich um Verwandlung aller Herzen, die noch vom Bösen, vom Haß oder von Gleichgültigkeit beherrscht sind.

Maria Mitrenga
Lwówek Poznański

DIE FRAU DES PASTORS

Ende August 1939 wurde eine Gruppe Deutscher, darunter auch Pastor Borkmann von der evangelischen Gemeinde in Lwówek – von den polnischen Ortsbehörden in Lwówek interniert. Der Pastor war noch jung, Lwówek war seine erste Stelle. Er hatte auch erst vor kurzem seine ebenfalls junge Frau geheiratet. Die Internierten wurden dann in die Gegend von Kutno überführt und bald darauf begann der Krieg. Pastor Borkmann starb unter bislang ungeklärten Umständen.

Die polnischen Behörden verließen Lwówek am 1. September 1939 bei Kriegsausbruch. Bis zum 6. September herrschte in der Stadt Chaos, bis sie von deutschen Soldaten eingenommen wurde. In der Zwischenzeit veranstalteten verschiedene üble Typen Überfälle auf deutsche Häuser, darunter auch auf das Haus des Pastors. Sie beschimpften auch die sich im Haus befindende junge Frau des Pastors.

Nachdem auf diesem Gebiet die deutsche Verwaltung Fuß gefaßt hatte, wurde der Fall des Pastors Gegenstand einer Untersuchung. Die Gestapo in Posen ging der Sache nach und eines Tages erschien eine größere Gruppe Polizisten in Lwówek. Es wurde angeordnet, daß zehn der ältesten und angesehensten Bürger der Stadt als Geisel verhaftet werden. Die Frau des Pastors wurde vorgeladen und zu den Umständen, unter denen ihr Mann gestorben war, angehört. Die Gestapo schlug Frau Borkmann vor, eine öffentliche Hinrichtung auf dem Hauptmarkt der Stadt zu veranstalten und die zehn Geiseln zu erschießen, um den ermordeten Pastor zu rächen.

Frau Borkmann verblüffte jedoch alle dort Versammelten – Gestapo-Leute, Vertreter der Kommandantur der Stadt und der Polizei – mit der Erklärung, ihr Mann sei an der Front gefallen und daran sei keine der festgenommenen Geiseln schuldig, weil sie diese als anständige Bürger kenne. Sie werde zu ihren Tränen über ihren Verlust nicht auch noch Tränen anderer Familien hinzufügen wollen, die ihre unschuldig hingerichteten Angehörigen betrauern würden.

Daraufhin wurden die verhafteten Geiseln freigelassen.

Helena Mrozińska
Wejherowo

ICH WERDE EUCH HELFEN

Ich habe keinen Grund, die Schuld der Deutschen zu verharmlosen. Ich allein hatte genug zu leiden. Mein Mann starb in Auschwitz, mein Schwager in Stutthof, meinem Vater nahmen die Deutschen mit 80 seine Pension weg, weil er die Stirn hatte, sich in der Freistadt Danzig zur polnischen Gemeinde zugehörig zu erklären. Mein Haus wurde mit Beschlag belegt usw. Unter den vielen deutschen Unmenschen begegnete ich jedoch einem wahren Christen.

Hitler faßte den Plan, die sog. Baltendeutschen aus Litauen, Lettland und Estland zusammenzuführen und sie an der Ostseeküste anzusiedeln. Unsere Przebendowskich-Str. in Orłowo war gleich zu Beginn dran. Aus dem Rheinland wurde die sog. Räumungspolizei angefahren, damit sie den Baltendeutschen Wohnungen auf Kosten der Polen bereitstelle. Auch uns suchte so ein Räumungspolizist auf, ein großer junger Mann in grüner Uniform. Er sah sich die Wohnung genau an, bis er im letzten Zimmer vor dem Bild der Sixtinischen Madonna stehen blieb. Er schaute sich dieses Bild eine Weile an, dann wendete er sich uns zu und sagte zu unserer zitternden Schar: „Ich werde euch helfen. Dankt meiner Mutter, daß ich eine solide religiöse Erziehung bekommen habe.“ Er war Protestant. Er begab sich zur Gestapo und setzte sich energisch für uns ein. Obwohl ihm Polenfreundlichkeit vorgeworfen wurde, blieb er standhaft und setzte sich durch. Er besorgte uns den lebensrettenden Zettel „Von der Räumung nicht betroffen“. Wir brauchten also unsere Wohnung nicht zu verlassen. Wir hatten zwar nichts zu essen, aber ein Dach überm Kopf, was angesichts des herannahenden Winters seine Wichtigkeit hatte. Dieser unbekannte Mann, ein Nächster im wahrsten Sinne des Wortes, ersparte uns die Verbannung ins Unbekannte. Möge ihn Gott segnen, wenn er noch am Leben ist. Ist er aber gefallen, so möge Gott ihm seine Mühe anrechnen, die er in unserer Angelegenheit nicht gescheut hat.

Kazimierz Nowacki
Dąbrowa Górnicza

VON EINEM MANN, DER SICH BEWÄHRT HAT

Nachdem ich die Hölle des Lagers in Grudziądz ausgestanden hatte, wurde ich von der Gestapo unter der Auflage entlassen, daß ich mitsamt meiner ganzen Familie aus Pommern wegziehe. Ich begab mich aufs Land in das Dorf Płoniawy bei Maków Mazowiecki, wo meine Schwiegereltern eine Wirtschaft in Pacht hatten. Da ich deutsch konnte, bekam ich Arbeit im Gemeindeamt – als Dolmetscher und Angestellter.

Stellvertretender Kommandant der Gendarmerie in Płoniawy war ein katholischer Österreicher (sein Name ist mir nicht mehr gegenwärtig) und er war um Himmelsweiten besser als der Kommandant selbst, der Herms hieß. Es gab zwischen den beiden eine geheime Rivalität. Der Österreicher wußte, daß ich ein Pole und Lehrer war. Eines Tages sollte er in das Dorf Chodkowo fahren, um dort einen polnischen Offizier namens Chodkowski zu verhaften. Der stlv. Kommandant sah mich aber durchs Fenster vorbeikommen, rief mich herbei und hieß mich den Betroffenen warnen, damit dieser schleunigst das Weite suche. Der Sohn des Gemeindeboten Szczepański schwang sich aufs Fahrrad und tat, was ich ihm befohlen hatte. Im Krieg gab es verschiedene Möglichkeiten, sich als Mensch zu bewähren, dieser Österreicher hat es bestimmt geschafft.

Als die Deutschen den Rückzug angetreten hatten, zeigte mir einer der sich auf Flucht befindlichen Soldaten sein Gebetsbuch, aus dem er immer betete. Er unterstrich seine Religiosität und Unkenntnis dessen, was sich in Polen abgespielt hatte. Er behauptete, von den Konzentrationslagern, von den Aktionen der Gestapo, von Massenhinrichtungen und schrecklichen Gefängnissen nichts gewußt zu haben.

Stanisław Przedmojski
Łask

EINSATZ FÜR EINEN POLEN

Als 1939 der Zweite Weltkrieg ausbrach, war ich 18. Die ganze Kriegszeit lang wohnte ich im Bezirk Łódź, der als Teil des Warthegaus dem Reich eingegliedert wurde. Dieses Gebiet sollte in Zukunft rein deutsch sein. Ein Pole war hier nichtsbedeutend, ein Untermensch. Wenn ein Deutscher einen Polen als Menschen behandelte, dann war er bestimmt selbst ein Mensch. Ich fange mit den SS-Leuten und den Gendarmen an, weil das ein besonders heikles Problem ist.

Auf eine niederträchtige Anzeige hin haben die SS und der Sicherheitsdienst meine ganze Wohnung peinlichst genau nach Waffen durchsucht. Ungeachtet einer so schwerwiegenden Beschuldigung wurde weder ich noch ein anderes Familienmitglied angerührt, obschon in einer solchen Lage ein Verhör mit Folter üblich war. Ich sah oft genug mit an, was sich die SS sogar gegenüber Deutschen erlaubt hat. Jene aber, die unser Haus durchsucht hatten, mußten Menschen gewesen sein. Zum Schluß zeigten sie mir die Anzeige, die leider ein Pole verfaßt hatte, und sagten mir: „Ihr Polen freßt euch gegenseitig auf und gebt die Schuld dafür anderen." Dann folgten Verhöre auf der Gendarmerie, die mit diesem Fall auf dem Dienstweg betraut wurde. Die Gendarmen erwiesen sich ebenfalls als anständige Leute, obgleich von ihrem Standpunkt aus jegliche Brutalität erlaubt war. Einige Monate später saß ich wieder in der Tinte. Ich selbst brachte mich in eine hoffnungslose Situation. Die Gendarmerie hielt einen Wagen an, der, wie sich herausstellte, mit illegal Geschlachtetem und illegal gebranntem Spiritus voll beladen war. Nichts ahnend setzte ich mich mit auf die Fuhre, um schneller voranzukommen, und fiel mit rein als mutmaßlicher Komplize. Der Verdacht auf Komplizenschaft lag nahe, zumal mich der gleiche Gendarm verhörte, der mich schon einmal in den Händen hatte, als es um die Waffen ging. Zu meiner Überraschung verbürgte er sich aber für mich gegenüber dem Kommandanten und ließ mich laufen. Er hätte mich aber als doppelt Verdächtigen ansehen müssen. Wenn er diesen Fall mit dem früheren offiziell in Zusamenhang gesetzt hätte, wäre es um mich geschehen gewesen. Ich kannte seinen Namen nicht und begegnete ihm nie mehr in meinem Leben. Gerade dieser Mann verbürgte sich für mein Leben, ein großartiger Mensch. Den unseligen Wagenbesitzer und Schmuggler kostete dieses Abenteuer Kopf und Kragen.

Einmal fingen zwei besoffene SA-Männer an, auf offener Straße auf meinen Vater einzuschlagen, weil er sich vor ihnen angeblich nicht tief genug verbeugt hatte. Dies war keine seltene Praxis. Plötzlich kam auf sie ein dritter zu, ebenfalls ein Deutscher in Zivil, und forderte die beiden entschieden auf, sofort aufzuhören. Als dies aber nichts half, sprang er mit bloßen Fäusten auf sie zu und boxte sie im Nu nieder. Anschließend entfernte er sich wortlos, ohne auch nur ein Dankeswort abzuwarten. Wenn ein Angehöriger des Herrenvolks zwei andere, dazu noch in Uniform, in der Weise behandelte, mußte er schon mit Konsequenzen rechnen. Ganz offenbar war ihm dies nicht wichtig. Er setzte sich für einen Polen ein, weil er ein Mensch war.

Ich hatte das Glück, unter den Deutschen viele Menschen angetroffen zu haben, andernfalls wäre es nicht möglich gewesen, die Besatzungszeit zu überstehen. Auch unter Volksdeutschen gab es Menschen, wie es der Müller Klauze aus Barycza war, der Polen Zuflucht bot. Menschen waren auch Antoni Wolf aus Gucin, der die beim Brückenbau beschäftigten Polen schonte und stets in Schutz nahm; Oskar Gutsch aus Rokitnica, mein Chef in jener Zeit, der mich vor Zwangsarbeit in Deutschland gerettet hatte und immer dann bei den Behörden intervenierte, wenn ich – seiner Meinung nach – ungerecht behandelt wurde. Es gab einen Oskar Pogorel, der – obwohl Deutscher – so arm war, daß er sich meinen Mantel borgte, als er ins Reich fuhr, um seinem dorthin verschleppten polnischen Nachbarn etwas Lebensmittel zu bringen. Auch unter den Reichsdeutschen, die herüber geschickt worden waren, gab es Menschen wie meine Vorgesetzten Ing. Theo Niehle vom Straßen- und Brückenbau oder Bezirkspostdirektor Schultz. Sie erblickten in einem Polen immer einen Menschen, halfen und beschützten uns vor den deutschen Behörden.

Unter den deutschen Siedlern von Litauen bis hinunter nach Jugoslawien gab es so viele gute Menschen, obschon sie es schwieriger hatten, weil sie die polnische Sprache nicht beherrschten und von der antipolnischen Propaganda pausenlos berieselt wurden.

Es ist nicht möglich, alle guten Deutschen aufzuzählen, die ich kennengelernt hatte, so viele waren es: Reinhold Wolf und Ernst Schostack aus Pabianice, Grieger aus Łask, die Wachtmeister Topp und Jerke (der letztere büßte seine Polenfreundlichkeit mit der Verschickung an die Ostfront). Viele Namen sind mir entfallen, an zahlreiche Tatsachen kann ich mich nur noch verschwommen erinnern. Sie alle handelten selbstlos und riskierten dabei nicht wenig. Die meisten sind wahrscheinlich schon gestorben, ich glaube aber, daß ihnen ihre Menschlichkeit in jener unmenschlichen Zeit vor Gottes Gericht hoch angerechnet wurde. Mein Beitrag soll Beweis dafür sein, daß wir Polen diese Deutschen zu schätzen wußten und auch jeden von ihnen als vollen Menschen anerkennen.

Tadeusz Robak – Häftlingnummer 137968
Nowa

SCHARFÜHRER SCHUHMACHER WAR ANDERS

Nachdem ich im August 1943 in Starachowice in den Hermann-Goering-Werken verhaftet worden war, wurde ich nach Auschwitz-Birkenau überführt. Wenn ich daran zurückdenke, angefangen mit der alten Sauna im Block 7, über die Karenz im Block 4 bis hin zum Aufenthalt in den Blocks 26 und 7, und wenn ich meinen Einsatz in dem Außenkommando und dem Maurerkommando bedenke, werden in mir unzählige Erinnerungen an Bestialität der Blockältesten, der Kapos und SS-Männer wach.

Ende 1943 (wohl im Dezember) wurde ich dem in Birkenau gerade zusammengestellten Kommando „Baubüro" zugeteilt. Chef dieses Büros war ein SS-Mann, Bauführer Janisch, der uns laufend als „polnische Banditen" beschimpfte. Aufgabe dieses Kommandos war es, ein neues Konzentrationslager „Mexiko"/„Meksyk" für 500.000 Menschen zu bauen, das unmittelbar an das bereits bestehende angrenzen sollte. In der Büroleitung waren anständige Menschen, Ingenieure und Techniker, die zur SS eingezogen worden waren. Sie waren höflich und sachlich, bestimmten jeden Tag das Arbeitspensum und kontrollierten anschließend, ob es auch geleistet wurde.

Insbesondere Scharführer Schuhmacher fiel positiv auf. Er begleitete Vermessungsgruppen bei ihrer Arbeit. Er schlug niemanden, er schimpfte nie mit uns, war stets höflich und hilfsbereit. Er besorgte uns manchmal Reste von dem Essen, das die Leitung bekam , z. B. saure Mehlsuppe mit Kartoffeln oder Milchreis. Seine Freundlichkeit wird auch seinen Vorgesetzten aufgefallen gewesen sein, weil er an die Ostfront versetzt wurde. Vor seiner Abreise kam er in vollständiger Ausrüstung zu uns, um sich zu verabschieden. Er wünschte uns allen, daß wir gesund bleiben, überleben und in die Freiheit kommen. Er drückte jedem die Hand zum Abschied. Ich weiß nicht mehr, ob er von der Ostfront zurückgekehrt ist und lebt.

Am 2. Mai 1945 erlangte eine große Gruppe Häftlinge aus unserem Baubüro-Kommando bei Schwerin in Mecklenburg die Freiheit wieder. Wir dankten Gott für die Errettung und gedachten auch Scharführer Schuhmacher als eines guten Menschen, guten Deutschen und anständigen SS-Mannes, was ganz selten war.

Paweł Rogalski
Warszawa

OBERGEFREITER HANS GABLER

Seit Ende 1942 wohnte ich in Warschau in der Badowska-Str. 21. Nach dem Ausbruch des Warschauer Aufstandes wütete in der Gegend die Waffen-SS und schoß alle jungen Männer nieder. Ich konnte als Frau verkleidet mit einer Gruppe Frauen flüchten. Wir versteckten uns ein paar Tage lang in einem kleinen Haus in der Nachbarschaft. Dort holten mich die Deutschen heraus und brachten mich in die Kaserne. Ich wurde einem polnischen Kommando zugeteilt, das Leichen vergraben sollte. Als wir zur Arbeit hinausgingen, trafen wir einen Obergefreiten der Wehrmacht, der uns anhielt und fragte, wohin wir gingen, und wer wir seien. Das war Hans Gabler, ein Bayer, von dem ich hier berichten will.

Er fragte mich, ob ich Partisan sei, worauf ich mißtrauisch die ausweichende Antwort gab, daß ich Pole sei. Er fragte mich aber noch einmal das gleiche und bekam von mir die gleiche Antwort. Dieses Spiel wiederholte sich noch ein paar Mal, bis er mir endlich klar machen konnte, daß er mit Bedacht „Partisanen" statt die übliche Bezeichnung „Banditen" verwende, weil er meine, die wahren Banditen seien die Deutschen von der Szuch-Allee[2] (die Straße hatte damals natürlich einen deutschen Namen) und nicht die Polen. Er sagte auch zu mir, „Dies ist keine Beschäftigung für dich und deine Kameraden." Er entschied, daß ich Holz hacken solle als Brennstoff für Autos (angesichts der großen Benzinknappheit betrieben die Deutschen vielfach ihre Wagen auch mit Gas, welches durch Verbrennung von Holz in dazu bestimmten und hinter der Fahrerkabine montierten Öfen gewonnen wurde). Er fragte uns auch, ob wir hungrig seien. Ich bestätigte es, weil wir seit zwei Wochen nur noch davon lebten, was wir in verlassenen Schrebergärten gefunden hatten. Er schickte also seinen Untergebenen Aleks, einen russischen Gefangenen, um Suppe in die Kantine. Dann besorgte er auch noch Milch und Schokolade für unsere Kinder. Er rief uns zu, auch die Familien herzubringen, weil es in solchen Zeiten immer besser sei, sich zusammenzuhalten. Wir erzählten ihm, daß sich unsere Familien illegal versteckten. So organisierte er mit unserer Hilfe einen „Überfall" – unsere Familien wurden „zufällig" durch seine Soldaten entdeckt. Er hat dies mit allem Drum und Dran über die Bühne gezogen, d.h. mit Schießerei (in die Luft) und fürchterlichen Schreien. Unsere Frauen fielen fast in Ohnmacht, als sie mich, bei einem deutschen Offizier eingehängt, reinmarschieren sahen.

„Wenn ihr Glück habt, werde ich den Befehl bekommen, euch zur Szuch-Allee zu schicken", sagte er, „Ich schicke euch aber nicht in den Tod, sondern entlasse Euch ins Leben. Ich schicke Euch in die Rakowiecka-Str., wo die Totenkopf-Standarte und nicht die Gestapo das Sagen hat. Wenn Ihr an der Szuch-Allee vorbeikommen werdet, beschleunigt für alle Fälle den Schritt und überquert den Unia-Platz im Laufschritt, man weiß ja nie, was passieren kann!" So kam es, und wir wurden gerettet.

Ich habe mich mit ihm befreundet. „Ich hasse diese Menschen", pflegte er sich über die SS zu äußern. „Ich trage keine Abzeichen und tue nur das Allernotwendigste", fügte er hinzu. Vor unserem Abschied gab er mir eine Karte mit seinem Namen und der Feldpostnummer mit der Bitte, ich solle ihm Bescheid geben, ob es mir gelang, das Leben zu retten. Ganz zum Schluß überkam mich die Lust, ihm zu gestehen, daß ich jüdischer Abkunft bin, die Frauen rieten mir aber davon ab mit der Begründung, ich solle ihm nicht auch noch eine solche Bewährungsprobe zumuten.

Bis zu dieser Begegnung wünschte ich mir die ganze Besatzungszeit lang, einmal einen Deutschen kennenzulernen, der nicht total nazi-verrückt ist. Und mein Wunsch ging in Erfüllung.

Jadwiga Różyczkowa
Końskowola

MENSCHEN IM WAHRSTEN SINNE DES WORTES

Am 16. Mai 1940 wurden wir aus der Gegend von Thorn nach Hrubieszów im Osten zwangsumgesiedelt. Am Bahnhof in Hrubieszów fing mein kleiner Sohn an zu quengeln und wiederholte lallend, daß er Tee möchte. Er war von den Strapazen der Reise sehr übermüdet. Einer der Soldaten sah dies, kam schnell auf uns zu und fragte, was das Kind möchte? Er war gleich wieder mit einer Feldflasche zurück und bot mir Kaffee an, weil zu seinem Bedauern kein Tee aufzutreiben war.

*

Ein anderes Mal wartete ich auf den Zug nach Thorn und ging mit meinem Sohn am Zaun, der uns von den Geleisen trennte, auf und ab. Ein Wachmann kam auf mich zu und machte mich freundlich darauf aufmerksam, daß ich mit dem Kind doch möglichst schnell in den Zug einsteigen solle, denn später könne es u.U. keine Plätze mehr geben.

*

Im Dezember 1939 fuhr ich nach Warschau zu meinem Vater. In meinem Abteil saß eine junge Jüdin mit Kind. An einer Station traten Gendarmen mit dem Befehl rein: „Juden raus!" Für die junge Jüdin war es nicht einfach, mit Kind und Gepäck das Abteil zu verlassen. Auf dem Bahnsteig standen Soldaten der Wehrmacht. Während die Gendarmen die Juden aus dem Zug vertrieben, half ein Soldat der jungen Jüdin beim Aussteigen und trug ihr das Gepäck.

*

Noch vor meiner Zwangsaussiedlung ging ich einmal eine der Straßen in Thorn entlang und sah plötzlich, daß auf dem Bürgersteig ein kleiner Junge bitterlich weinte. Über ihn stand tief gebeugt ein deutscher Soldat und fragte den Kleinen mit großer Teilnahme nach seinen Sorgen.

*

Bevor der deutsch-russische Krieg ausgebrochen war, war Hrubieszów vollgestopft mit deutschen Soldaten und Kriegsmaterial. Eines Tages kam mein Sohn abhanden, wir konnten ihn nirgendwo finden. Endlich fanden wir ihn im Nachbarhof inmitten einer großen Gruppe Soldaten. Er saß bei einem Soldaten auf dem Schoß, von dessen schützendem Arm umgeben, und unterhielt sich irgendwie mit ihm, in welcher Sprache weiß ich nicht.

*

Einer der Deutschen im Bezirk Lublin bekannte sich zwar offen zum Deutschtum, akzeptierte aber die Nazis nicht. Er schloß sich dann der polnischen Untergrundarmee (AK) an und wurde von den Nazis getötet. In diesem Ort gibt es auf dem Friedhof ein symbolisches Grab für ihn.

*

Mit uns wurde auch die Familie meines Mannes ausgesiedelt – seine Eltern und seine Schwester. Der Schwiegervater war asthmakrank. Er litt sehr darunter. Ich beschloß, mich in die Kaserne zu begeben in der Hoffnung, daß sie dort ein Medikament gegen sein Leiden haben. Mein Schwiegervater konnte gut deutsch und verfaßte eine Bittschrift. Ich hatte Angst, hinzugehen, wichtiger war es mir aber, die Not des alten Mannes zu lindern. Ich übergab den Brief dem wachhabenden Soldaten. Er ging damit weg, kehrte bald zurück und winkte mich herein, ich solle ihm folgen. Er führte mich (eine fremde Frau) in die Kaserne rein. Einer der Soldaten besprach sich mit dem Arzt, und ich sah mich mittlerweile in einem der Wohnräume um. Dort standen Doppelbetten, überall hingen viele Familienfotos, und vor allen Dingen fiel der Raum durch Sauberkeit auf. Das erwünschte Medikament habe ich dann auch bekommen.

*

Ich habe nach dem Krieg eine Krankenschwester kennengelernt, die im Warschauer Aufstand in einem der provisorischen Feldkrankenhäuser tätig war. Sie erzählte mir folgende Geschichte. In diesem Krankenhaus lagen Deutsche und Polen Bett an Bett. Eines Tages brachte jemand eine größere Menge Kekse. Die polnischen Schwestern verteilten sie gerecht unter den Kranken. Die Deutschen wunderten sich darüber. Meine Bekannte sagte ihnen, daß sie nur einem einzigen Deutschen die Kekse vorenthalten würde. Dies weckte bei den Deutschen große Neugier, und sie wollten unbedingt wissen, wen sie meint. „Hitler" bekamen sie zur Antwort. Bald kamen deutsche Gendarmen, um die polnischen Kranken zu liquidieren. Die verwundeten deutschen Soldaten nahmen die Polen in Schutz.

*

In einer der Werkstätten in der Lubliner Gegend suchten deutsche Gendarmen einen alten Schmied auf und schlugen ihn mit langen Ruten so lange, bis er ihnen den Aufenthaltsort seiner Söhne, die im Untergrund tätig waren, preisgab. Darauf kam eine Gruppe von Wehrmachtssoldaten, angeführt von einem Offizier. Es kam zu einer kurzen, aber scharfen Auseinandersetzung zwischen dem Offizier und den Gendarmen. Der Offizier bestand darauf, daß sie aufhörten, den armen Mann zu schlagen. Die Gendarmen mußten nachgeben. Die Hilfe kam aber ganz offenbar zu spät. Der Schmied starb leider an den Folgen dieser Prügelstrafe ein paar Tage später.

*

Nachdem die Deutschen Thorn besetzt hatten, stand ich eines Tages an, ich weiß nicht mehr wonach. Es war meine Dauerbeschäftigung. Wir Polen mußten zehn demütigende Gebote einhalten. Eines davon hieß: „Die Deutschen werden außer Reihe bedient." Ich blickte mich um und sah hinter mir eine deutsche Frau stehen, die im gleichen Dorf wohnte wie ich. Ich blickte sie freundlich an, weil sie sich so für diese Regelung schämte. Es gab auch solche Deutsche.

*

Ich las davon, daß es in jenem Geldstock, in dem Gelder für den Wiederaufbau des Königlichen Schlosses in Warschau gesammelt wurde, sehr viel deutsches Geld gab. Auch am Bau und an der Einrichtung der Zentralen Kinderklinik (Centrum Zdrowia Dziecka) hatten die Deutschen den größten Anteil.

*

Als ich in der letzten Zeit am Radio saß, hörte ich zufällig, wie Kardinal Höffner einen Transport von Lebensmitteln nach Polen segnete und sagte: „Es gibt wohl in ganz Deutschland keine einzige Zeitung, die nicht zur Hilfe für Polen aufgerufen hätte und keine Stadt, die nicht eine solche Hilfe organisiert hatte."

*

Willy Brandt sagte: „Mein Wunsch ist es, daß unsere Völker nie wieder durch Drahtverhaue und Mienenfelder getrennt sind." Danach gefragt, wovon er sich in seiner Beziehung zu Polen leiten läßt, antwortete er: „Vom Herzen:"

*

Carlo Schmidt, ein bewährter Polenfreund, ergriff im Bundestag das Wort in der Debatte über die Schuldfrage der Deutschen und Polen. Er verglich die Schuld der Deutschen mit einem Riesenfelsen, und die Schuld der Polen in Relation dazu mit einem kleinen Korn.

*

Zwischen unseren Völkern gab es eine Zeit, in der das Böse mit großer Macht regierte. Dies ist mit nichts wiedergutzumachen. Wir können uns aber nicht pausenlos Beschuldigungen an den Kopf werfen. Wir müssen jede Mühe zur Versöhnung, die sich zwischen uns bemerkbar macht, dankbar empfangen.

Teresa Skurowa
Warszawa-Międzylesie

BITTE FÜR UNS

Es dürfte im Mai oder im Juni gewesen sein, eher im Mai, weil es schon dunkel war und die Menschen gerade vor einem kleinen Altärchen versammelt waren. Frau Zeremba betete die Lauretanische Litanei vor, alle antworteten: „Bitte für uns".

Wir kamen im Mai und im Juni regelmäßig zu Andachten zusammen. Auf den kleinen Altar legten wir unsere Hoffnungen und Sorgen hin. Ich weiß nicht mehr, ob die Familie Baziukiewicz (Volksdeutsche) auch dabei war. Wir Bewohner des Hauses in der Chmielna-Str. 21 waren der Meinung, daß sie niemandem schadeten. Mit niemandem waren natürlich wir gemeint, sowie die Bewohner der Nachbarhäuser in der Chmielna 19 und 23. Die gegenüberliegende Straßenseite war eine andere Welt. Ich dachte nicht über die Straße hinweg.

Vor dem Bild der Muttergottes flackerten Kerzen, die frisch gestärkten Servietten nahmen sich schön auf dem Altar aus, auf dem auch frische Blumen standen. Jeder wiederholte „Bitte für uns", versunken in seinen Sorgen um die Nächsten und in der allgemeinen Not. Jeder Mensch in Not war uns der Nächste.

Plötzlich polterte es an der Haustür. Wir erstarrten im Schweigen. Es polterte aber bald wieder. Alle hielten den Atem noch einmal an, bis Frau Zaremba mit ruhiger Stimme weiter zu beten begann und wir mit „Bitte für uns" zu antworten. Die Anspannung war aber groß. Der Hausmeister Tarnachowicz ging, um die Haustür aufzumachen.

Am Eingang hörten wir bald den harten Gang beschlagener Soldatenschuhe. Die Soldaten stellten sich im Hauseingang in Viereckform auf. Niemand von uns rührte sich von der Stelle, niemand änderte seine Haltung. Unser „Bitte für uns" ertönte wieder. Der Offizier zog die Soldatenmütze und legte sie vorschriftsgemäß an den angewinkelten linken Arm, wie wenn er Ehre bezeugen möchte. „Bitte für uns" erklang es wieder. Dann setzte er sich die Mütze auf, salutierte, machte kehrt, wie seine Soldaten auch und sie schritten hart zum Eingang zurück und raus auf die Straße. Am Schluß wurde der Schlüssel umgedreht. Wir beteten: „Königin Polens, bitte für uns."

„Stefan"
Name und Vorname der Redaktion bekannt

PROF. HEILMAYER

Seit ich 1953 in der II. Universitätsklinik für Innere Krankheiten in Krakau meine Arbeit aufgenommen hatte, hörte ich viel von meinen älteren Kollegen über den deutschen Hämatologen Prof. Heilmayer. Alle waren einhellig guter Meinung über ihn.

In der Zeit der deutschen Besatzung durften die polnischen Chefärzte der Kliniken, wie z.B. mein Chef Prof. Tempka, ihre Funktionen nicht weiter ausüben, dennoch arbeiteten viele von ihnen als Ärzte weiter. Die Klinik leitete zunächst kurz ein reichsdeutscher Schlesier, der stets vorgab, kein Wort Polnisch zu verstehen. Er blieb niemandem in guter Erinnerung. Ihn löste Prof. Heilmayer ab.

Zu dieser Zeit lagen in der Klinik auch Menschen, für die es das einzige Versteck war. Sie mußten allerdings eine Krankheit vortäuschen. Ein fachlich so guter Arzt, wie es Prof. Heilmayer war, mußte dies durchschaut haben, nicht ein einziges Mal unternahm er aber etwas dagegen.

An der Klinik war auch ein Arzt angestellt, der zugleich in der Untergrundarmee aktiv war. Wenn eine größere Aktion im Untergrund vorbereitet und durchgezogen wurde, fehlte er plötzlich in der Klinik ein paar Tage. Nachdem er wieder aufgetaucht war, wurde er zu Prof. Heilmayer bestellt und mit aller Energie abgekanzelt. Nie wurde er aber angezeigt. Einmal wurde bei einer Razzia auch ein polnischer Arzt von der Gestapo verhaftet. Prof. Heilmayer rief gleich die Oberkrankenschwester im Lazarus-Krankenhaus an, deren Freundin die Geliebte von Himmler war. Auf ihre Intervention hin wurde der Arzt sofort freigelassen.

Einmal erschien in der Klinik die Gestapo, um eine dort liegende Melderin der Untergrundarmee (AK) abzuholen. Prof. Heilmayer bestellte sofort den sie behandelnden Arzt zu sich, um ihm Bescheid zu sagen. Er selbst beschäftigte die Gestapo noch eine Weile in seinem Zimmer. Der Arzt warnte sofort die Melderin, aber die Flucht wurde vereitelt, weil die ganze Klinik umstellt war.

Die Deutschen betrieben eine systematische Vernichtung der Bücherbestände der Kliniken. Als eine entsprechende Anordnung auch an unsere Klinik gelangte, unterschrieb Prof. Heilmayer auf die Bitte eines der polnischen Ärzte den Auftrag, einen Raum zuzumauern, in dem die wichtigsten Bücher über den Krieg hinweg gerettet werden konnten.

Als Prof. Tempka nach dem Krieg von den polnischen Behörden einmal die Reisegenehmigung ins Ausland bekam, um an einem internationalen Hämatologenkongreß in Innsbruck teilzunehmen, kam er dort mit zwei Tagen Verspätung an. Als er in dem Kongreßraum eintraf, hatte gerade Prof. Heilmayer die Leitung und unterbrach sofort die Beratungen, um Prof. Tempka feierlich zu begrüßen.

Jadwiga Strzemska
Warszawa

ER WÄHLTE EINEN SCHWIERIGEN WEG

Ende April oder Anfang Mai 1940 hatte ich in Lublin eine wichtige Besorgung. Ich hatte vor, am Morgen früh hinzufahren und abends wieder zurück zu sein. Nachdem ich am Bahnhof angekommen war, stellte sich heraus, daß der Frühzug nicht fährt. Der nächste war erst in fünf Stunden. Ich nahm im Warteraum Platz, holte den dicken Band „Vom Winde verweht" hervor und begann zu lesen. Auf einmal platzte in den Raum eine laute Gruppe deutscher Soldaten herein – sie kamen auf ein Bier. Ich faßte mich wieder und setzte meine Lektüre fort. Plötzlich wurde mein Buch energisch zugeklappt. Vor mir baute sich mit fröhlicher Miene einer der Soldaten auf. Dann setzte er sich zu mir. „Sprechen Sie deutsch?" – „Nein!" war meine Antwort. „Sprechen Sie vielleicht Französisch?" – „Ja" – sagte ich. „Schade, daß Sie verreisen müssen, sonst hätte ich Sie gern auf eine Tasse Kaffee eingeladen." Ich antwortete: „Es ist vollkommen egal, ob ich verreise oder nicht, auf eine Tasse Kaffee würde ich mich von Ihnen nie einladen lassen." „Wieso?" fragte er zurück mit ernstgewordener Miene. „Weil Sie ein Deutscher sind und ich eine Polin." Damit änderte sich schlagartig sowohl sein Ton als auch der Gesichtsausdruck. Er bedankte sich für meine Ehrlichkeit in dem Bewußtsein, Vertreter der feindlichen Seite zu sein. Es ergab sich trotzdem ein Gespräch.

Er war seit einigen Monaten in Puławy stationiert, wo er in der Nähe in einem Dorf die Abholzung überwachte. Jetzt hatte er Dienst in einem Sägewerk in Puławy am Bahnhof. Als er auf dem Lande war, war es ihm peinlich, daß polnische Mädchen mit deutschen Soldaten flirteten. Er sah wie ein nachts im Walde ertappter Bauer gehenkt wurde. Dies hat ihn erschüttert. Er fragte sich immer wieder – warum? Er gestand, wie peinlich es ihm sei, in Polen zu sein, weil ihn jeder fragen könne, was er hier zu suchen habe. Er beteuerte, daß er den Krieg hasse. Beide Kriege bewirkten Ruin in seinem Leben. Der Vater kam vom Ersten Weltkrieg TB-krank nach Hause zurück. Er war sein ältester Sohn, hat sich schwer durchschlagen müssen, brachte aber das Studium der Volkswirtschaft in der Schweiz zum Abschluß. Nun mache der nächste Krieg sein Leben kaputt. Er berichtete über die Gestapo, über seinen Lehrer, den die Gestapo verfolgt hat. Er klagte darüber, daß er mit seinen Kameraden keine gemeinsame Sprache fände, weil sie oft primitiv seien. Unser Gespräch zog sich Stunden lang hin – bis zu meiner Abfahrt. Als ich schon den Zug bestieg, sprach er noch eine eindringliche Warnung vor der Gestapo aus: „Ihr habt keine Ahnung, was die Gestapo ist". Ich kam abends aus Lublin zurück. Auf dem Bahnsteig erwartete mich der Besitzer der Bahnhofkantine und sagte: „Der Deutsche, mit dem Sie sich unterhalten haben, konnte nicht kommen, weil er plötzlich einen Reisebefehl bekam. Er hinterlegte für Sie einen Brief und ließ Ihnen ausrichten, daß wir uns alle an Ihnen ein Beispiel nehmen sollten."

Der Brief war auf Französisch verfaßt und mit Erich Lane bzw. Laune unterzeichnet. „Liebe Unbekannte", fing ich an zu lesen. Er schrieb mir darin, wie froh er war, sich über all diese Dinge mit mir unterhalten zu dürfen. Nach diesem Gespräch faßte er den Entschluß, einen schwierigen Weg einzuschlagen. Der Brief ging mir leider abhanden, auch des Namens bin ich mir mittlerweile nicht mehr sicher. Ich weiß nicht mehr genau, ob er aus Hamburg oder aus Hannover war. 1940 dürfte er 25–30 Jahre alt gewesen sein. Er war in Puławy Unteroffizier – bei der Infanterie oder in einem Hilfstrupp. Dann kam er wahrscheinlich an die französische Front.

Der Versöhnungsbrief polnischer Bischöfe regte mich zum Nachdenken an und ich empfand plötzlich das Bedürfnis, diesen Mann noch einmal zu sehen, um unser damaliges Gespräch zum Abschluß zu führen. Ich scheute keine Mühe, um ihn zu finden. Alle meine Bemühungen blieben aber erfolglos.

Aus den vielen Stunden unserer Unterhaltung am Bahnhof kann man schließen, daß er einen schwierigen Weg gegangen ist.

Meine derzeitige Haltung zu der deutsch-polnischen Problematik ist maßgeblich durch ihn bestimmt. Ich denke gern an ihn zurück als an einen Menschen und Freund. Es liegt mir auch daran, daß er nicht ganz in Vergessenheit gerät.

Anna Sucheni-Grabowska
Warszawa

Frau Margarita Hubner aus Linz
mit Dank für ihre Freundschaft

LEUTNANT LULAY IN POLEN – FRÜHJAHR 1940

Im Jahre 1939 studierte ich an der Warschauer Universität Jura. Durch den Ausbruch des Zweiten Weltkrieges sah ich mich gezwungen, in mein Elternhaus in Gidle bei Tschenstochau zurückzukehren. Um möglichst schnell geordnete Verhältnisse zu schaffen, und so dem Zugriff der deutschen Behörden zu entkommen, kümmerte ich mich um Arbeit und wurde in einer Fabrik, die im 19 Jh. von meinem Großvater Josaphat Sucheni gegründet worden war und später dann von meinem Vater, Wincenty Boleslaw, weitergeführt wurde, angestellt. Der Nachweis für berufliche Tätigkeit war eine wesentliche Absicherung gegen die Willkür des deutschen Besatzers.

In den ersten Kriegsjahren bezogen Einheiten der Wehrmacht mehrmals Quartier in Gidle. Gleich im Spätherbst 1939 ließ sich meine jüngere, damals 13 Jahre alte Schwester in einer Anwandlung patriotischer Gefühle dazu hinreißen, in den Querbalken des Zaunes, der sich zwischen unserem Garten und den Wirtschaftsgebäuden erstreckte, mit einem Taschenmesser kindisch-umstürzlerische, wenngleich damals gar nicht ungefährliche Aufrufe einzuritzen: „Weg mit Deutschland, weg mit Hitler, weg! weg!". Im Winter bemerkte dies keiner, der Schneefall sorgte dafür, daß dieser gedankliche Sprengstoff weiterhin unbemerkt blieb. Im Frühjahr 1940, als der Schnee weggetaut war, sah man wieder deutlich, wozu da aufgerufen wurde. Aber nicht wir waren die ersten, die entdeckten, was da stand. Unsere Haushälterin, die auch unser Kindermädchen war, erblickte durch das Fenster zwei Wehrmachtssoldaten, die am Brunnen Wasser schöpften und mit großer Aufmerksamkeit ein Stück des Zaunbalkens beäugten. Nachdem sie sich entfernt hatten, überprüften auch wir, was ihre Aufmerksamkeit auf sich gelenkt hatte und entdeckten die deutschfeindliche Aufschrift. Wir entfernten sofort diese Schnitzereien, ohne jedoch viel Hoffnung zu haben, daß die ganze Angelegenheit damit ihr Ende fand.

Die damals in Gidle stehende Wehrmachtseinheit wurde von einem Offizier angeführt, der sich in dem weiträumigen Nachbarhaus meiner Tante, Maria Łuniewska-Sucheni, einquartiert hat. Wir wußten von dem Oberleutnant nur, daß er Österreicher ist und Lulay heißt. Er war groß und schlank, ungefähr 40 Jahre alt, sein schmales längliches Gesicht fiel durch Brillen mit Drahtgestell auf. Bei den Kontakten zu meiner Tante war er stets sehr höflich und zuvorkommend. Die Bezeichnung „Besatzer" paßte nicht so richtig zu ihm. Dennoch war unser Unbehagen kaum zu kaschieren, als unsere ganze Familie von ihm zum Verhör vorgeladen wurde. Der Anlaß war mehr als offensichtlich, da brauchten wir nicht lange darüber herumzurätseln. Solch leichtsinnige Ausbrüche patriotischer Gefühle, wie sie sich meine Schwester geleistet hatte, konnten nicht ungestraft bleiben. Gefährdet war nicht nur die Familie, weil uns zu diesem Zeitpunkt Sippenhaftung bereits ein Begriff war, sondern darüber hinaus auch alle anderen Hausbewohner, Aussiedler aus Pommern, welches dem Reich eingegliedert worden war. Praktisch war jede Art von Bestrafung möglich.

Oberleutnant Lulay verhörte sowohl meine Familie als auch die anderen Hausbewohner rein routinemäßig, ohne daraus viel Aufhebens zu machen. Er akzeptierte sofort die Beteuerungen aller, daß sie nichts von der Sache wüßten und forschte nicht weiter nach. Relativ lange unterhielt er sich mit mir, weil ich ganz gut Deutsch sprach. Die Mühe meiner Deutschlehrerin, Frau Eva Schulz, war an mir doch nicht verloren. Sie war eine glühende polnische Patriotin, wies uns aber gewissenhaft in die deutsche Sprache und Kultur ein. Während des Krieges engagierte sie sich beim illegalen Unterricht polnischer Kinder. Auch mein Vater legte darauf Wert, daß ich die Sprache des deutschen Nachbarn beherrsche.

Oberleutnant Lulay nahm mir meine Unwissenheit bezüglich der Autorenschaft der fraglichen Inschrift gelassen ab und lenkte das Gespräch auf andere Bereiche. Er fragte mich nach meinem abgebrochenen Studium, nach meiner Familie und – wenn auch sehr behutsam – nach der Stimmung in Polen. Ganz offenbar wollte er sich seine eigene Meinung darüber bilden. Ich spürte ganz deutlich sein ehrliches Bemühen, sich in unsere Lage zu versetzen und ich glaubte, aus seinen Worten sogar eine Art Mitgefühl herauszuhören. Er schloß unser Gespräch mit der Feststellung ab, die ich, soweit ich sie im Gedächtnis behielt, möglichst wörtlich anführen möchte: „Was ist da viel zu sagen; „Ich verstehe Euch Polen. Ich an Ihrer Stelle würde mich auch wie Sie und Ihre Freunde verhalten, wenn ich in eine vergleichbare Lage geraten würde". Ich kann es heute nicht mehr abschätzen, ob er damals vordergründig seine „Mitschuld" an unserer Lage bekennen oder sich von der nationalsozialistischen „Lebensraum"-Politik distanzieren wollte.

Nach dem Krieg wendete ich einige Mühe auf, um Oberleutnant Lulay ausfindig zu machen. In den ersten Nachkriegsjahren, als wir von den sowjetischen Befreiern besetzt waren, war ein solches Unterfangen gefährlich und konnte nur sehr behutsam und ohne viel Hoffnung auf Erfolg vorangetrieben werden. Als ich 1978 über die Polnische Akademie der Wissenschaften einen Studienaufenthalt in Wien bewilligt bekam, machte ich mich noch einmal auf die Suche. Leider blieb ich erfolglos. Die Anzahl der „Lulays" im Telefonbuch beraubte mich jeder Hoffnung, jemals den richtigen zu finden, dem ich nach Jahren für sein Verhalten damals danken wollte. Ich kannte nicht einmal seinen Vornamen. Ich behielt ihn in dankbarer Erinnerung für mein ganzes Leben. Als wir im Kriegszustand Pakete aus Österreich bekamen, dachte ich gleich auch an ihn.

Wenn ich an die Kriegszeit zurückdenke, bleibt Oberleutnant Lulay eher eine rühmliche Ausnahme. Meine Familie und viele meiner Bekannten und Freunde hatten viel zu leiden. Meine Schwester Maria Rutkowska-Kurcyusz war ab 1941 bis Kriegsende im KZ (u.a. auch in Ravensbrück) eingesperrt. Mein Neffe Janusz Leszczyński kam ins KZ Auschwitz und wurde dort umgebracht. Tadeusz Rutkowski, der erste Mann meiner Schwester, kam im KZ Großen um. Zwei andere Neffen Tadeusz und Andrzej Ćwierczyński starben ebenfalls im KZ Auschwitz. Der Warschauer Aufstand forderte weitere Opfer: mein Schwager, der Fähnrich Zdzisław Grabowski und mein Neffe Leszek Luniewski sind dort gefallen, die Pfadfinderin Maria Piorowicz, damals achtzehnjährig wurde erschossen. So erging es damals sehr vielen polnischen Familien.

Stanislaw Szary
Warszawa

ES WAR NICHT NUR DR. HELLENBRAND ALLEIN

Die Bewohner der Stadt Piotrków Trybunalski behielten den in der Kriegszeit eingesetzten Amtsarzt Dr. Hellenbrand in guter Erinnerung. Gegen Kriegsende, angesichts der Schlappe an allen Fronten, erweichte so manches deutsche Herz. Dies war eine konjunkturelle Vorsichtsmaßnahme und verdient keiner besonderen Erwähnung. Dr. Hellenbrand kam 1941 nach Piotrkow, zu einer Zeit also, als die deutsche Armee im Osten siegreich vorwärtsstürmte. 1944 verließ er die Stadt, von einem jungen Deutschen abgelöst, der sofort den großen Besatzer hervorzukehren begann. Dr. Hellenbrand war vom ersten Tag seiner Amtszeit an der gleiche: ruhig, menschlich, nie arrogant oder überheblich. Er behandelte alle gleich, die kleinen Leute ebenso wie die polnischen Ärzte, von denen es einige Dutzend in der Gegend gab. Einer der aus Posen ausgesiedelten Ärzte, den das Schicksal schon mit mehreren Amtsärzten in Berührung gebracht hatte, sagte zu mir: „Lieber Kollege, jene Amtsärzte, mit denen ich bisher zu tun hatte, empfingen mich in der Regel so, daß ich stehen mußte und sie zu mir mit dem Rücken gekehrt saßen. Sie würdigten mich nicht einmal eines Blickes. Allein deshalb lohnt es sich, hierher zu ziehen, um einen solchen Vorgesetzten zu haben wie Dr. Hellenbrand."

Zu den ihm unterstehenden Ärzten, zu Kranken- und zu den Ordensschwestern, die in Krankenhäusern und Ambulanzen tätig waren, war er stets freundlich, zeigte sich verständnisvoll, obgleich er nie um deren Gunst zu buhlen versuchte. Er trank keinen Alkohol, rauchte dafür Zigarren und Zigaretten. Oft ging er auf Jagd. Wir erfuhren dann mit der Zeit, daß er vor dem Krieg auch in Afrika gejagt hatte. Sobald er seine Sprechstunden hinter sich gebracht hatte, verschwand er gleich – am liebsten mit seinem Jagdgewehr. Seine regelmäßige Abwesenheit – die vorgeschriebene Amtszeit ausgenommen – führte zu ständigen Reibereien zwischen ihm und dem deutschen Kreisleiter. Ich bekam davon Kenntnis, weil ich, damals der einzige Pulmologe in der Gegend, die Tochter des Kreisleiters behandelte. Mit der Zeit leuchtete uns der Grund für die ständige Abwesenheit Dr. Hellenbrands ein. War er in seiner privaten Freizeit schwer greifbar, brauchte er an den Sonderaktionen nicht teilzunehmen, die z.B. gegen die Untergrundbewegung – einschließlich Erschießungen – vorgenommen wurden. Die Untergrundbewegung wußte dies zu schätzen.

Jeder von uns polnischen Ärzten hatte ihm etwas zu verdanken – wenn nicht privat, dann dienstlich. Dr. Hellenbrand half stets selbstlos. Einem meiner Kollegen half er bei der Anschaffung eines Röntgengerätes für dessen Privatpraxis. So konnte er seinen Beruf ausüben und etwas verdienen. Er versorgte auch das Krankenhaus mit allem Nötigsten. Wenn er polnische Kollegen auf der Straße traf, grüßte er als erster. Gleich freundlich verhielt sich seine Frau, die es sich am Steuer ihres Fahrzeugs nicht nehmen ließ, mit einem Lächeln und einer Kopfbewegung Bekannte zu grüßen. In seinem Büro stellte er Frau Szymańska als Sekretärin an, die zwar fließend deutsch sprach, bekanntlich aber die Frau eines polnischen Offiziers war, der in einem der deutschen Offizierslager gefangen gehalten wurde. Frau Szymańska war aus Posen nach Piotrkow zwangsumgesiedelt worden. Die guten Beziehungen Dr. Hellenbrands zu Polen waren nicht zuletzt Frau Szymańska zu verdanken. Das gute Dienstverhältnis zwischen Dr. Hellenbrand und den polnischen Ärzten war auf gegenseitigem Vertrauen aufgebaut – er vertraute uns voll und ganz, und wir waren bemüht, ihn als Vorgesetzten nicht im Stich zu lassen. Nicht ein einziges Mal ist es vorgekommen, daß ein von polnischen Kollegen ausgestelltes Attest von Dr. Hellenbrand angezweifelt wurde, obschon alle von ihm bestätigt werden mußten. Diesem Umstand war es zu verdanken, daß wir Leidenden wirksamer helfen, andere vor der Zwangsarbeit in Deutschland bewahren und einigen sogar das Leben retten konnten.

Ich wohnte in der gleichen Straße wie Dr. Hellenbrand, eigentlich nur ca. 100 m weiter. Bekanntlich entgeht den Nachbarn kaum etwas. Seine Tochter spielte oft mit polnischen Kindern. Sein Wagen, der im Hof stand, war für die Kinder ein Heiligtum. Sie paßten auf ihn auf und wurden dafür mit Süßigkeiten, die eine große Rarität darstellten, entlohnt. Ich möchte die Einstellung von Dr. Hellenbrand an einem Beispiel zeigen. In Piotrków lebten viele aus Posen und

Gnesen ausgesiedelte Familien. In dem inmitten von Wäldern gelegenen Dorf Reczno, 30 km von Piotrków entfernt, fand ein junger, aus Gnesen ausgesiedelter Arzt Zuflucht, der eine große Familie zu erhalten hatte. Er erkrankte an TB und befand sich bei mir im Piotrkower Krankenhaus in Behandlung. Der Winter war damals besonders schneereich und streng. Eines Tages fand ich ihn sehr betrübt vor, weil er gerade erfahren hatte, daß sein Stiefvater, ein älterer Herr, schwer erkrankt war. Die Ordensschwestern und ich wollten ihm irgendwie helfen und den kranken Stiefvater ins Krankenhaus überführen. Dies war aber nicht einfach, weil es keine Transportmöglichkeit gab. Wir wandten uns an die Krankenkasse, die zwar über einen Wagen verfügte, sich aber gegen dessen außerdienstliche Verwendung verwahrte. Wir versuchten es noch mit einem der polnischen Ärzte, sein Wagen war aber für diese Fahrt zu unsicher. Uns blieb nur eines übrig, uns an Dr. Hellenbrand zu wenden. Zwei der Grauen Schwestern (Orden der Ursulinen) begaben sich zu Dr. Hellenbrand, um ihm das Anliegen darzulegen. Er selbst war während der Amtszeit nicht abkömmlich, seine Frau bot sich aber sofort an zu helfen. Sie scheute diesen winterlichen Weg nicht und setzte sich sofort in dem alten DKW ans Steuer, der für den Krankentransport hergerichtet wurde. In jener Gegend waren Partisanen sehr aktiv, Frau Hellenbrand hätte allen Grund gehabt, einiges zu befürchten. Dennoch machte sie sich unverzüglich auf den Weg. Der Kranke wurde ins Auto gebracht, und sie machte sich auf den Rückweg. Unterwegs blieb sie in einer Schneeverwehung stekken. Sie brach zu Fuß in das nächstgelegene Dorf auf und holte Hilfe. Sie lieferte den Kranken ins Krankenhaus ein, wofür sie bei uns, einigen wenigen Eingeweihten, große Dankbarkeit erntete. Wir stellten bei dem Kranken eine weit fortgeschrittene Lungenentzündung fest. Trotz mehrtägiger Behandlung gelang es uns nicht, ihn zu retten.

Es gab auch andere berichtenswerte Begebenheiten. Nachdem in Piotrków die Juden im Ghetto eingeschlossen worden waren, wurde eine alte Jüdin auf offener Straße erwischt – darauf stand Todesurteil. Sie wurde vor Gericht gestellt. Dr. Hellenbrand sagte vor Gericht als Gutachter aus, daß diese Jüdin an weit fortgeschrittener Sklerose und überhöhtem Blutdruck leide, folglich nicht voll zurechnungsfähig handeln könne. Das Gericht zog noch einen Psychiater, den polnischen Arzt Dr. Roguski hinzu. Frau Szymańska, wie oft schon in solchen Fällen, ließ mir die Nachricht von dem Fall zukommen und legte mir nahe, Dr. Roguski über die Diagnose und das Gutachten von Dr. Hellenbrand zu informieren, weil dieser, wie er selber sagte, „diese alte Jüdin nicht auf dem Gewissen haben wollte". Das Gericht schenkte dem Gutachten Glauben und die Jüdin durfte ins Ghetto zurückkehren. Dies bewahrte sie zwar nicht davor, dem Schicksal anderer Juden im Ghetto zu entgehen, dennoch hatte nicht Dr. Hellenbrand sie auf dem Gewissen.

In der alten, deutschen – konfessionell gemischten, weil katholisch-protestantischen – Familie Hellenbrand waren bestimmte Werte heilig. Wir polnischen Ärzte konnten mitansehen, wie sich ein Arzt, der gegen seinen Willen in einen „schmutzigen Krieg" mit hineingerissen worden war, verhalten hat. Niemand von uns Ärzten hat jemals darüber mit Dr. Hellenbrand gesprochen, es herrschte aber ein stillschweigendes Einvernehmen darüber. Dr. Hellenbrand spürte, daß er unsere Achtung verdientermaßen genoß. Wir haben ihm einmal im Auftrag der Untergrundbewegung über Frau Szymańska die Nachricht zugespielt, daß ihm auf unserem Gebiet kein Haar gekrümmt werde. Er war nicht erstaunt, ließ aber über Frau Szymańska ausrichten: „Ich weiß, wie Sie zu mir stehen, habe aber das Schicksal eines deutschen Kollegen lebhaft vor Augen, der einem Irrtum zum Opfer gefallen ist. Was nützte es, daß die Untergrundbewegung seiner Familie ihr tiefstes Bedauern ausgedrückt hat."

Es gab nicht nur diesen Dr. Hellenbrand, es gab eine ganze Reihe Deutscher von diesem Schlag.

Wenn vielleicht seine Tochter, die auf dem Piotrkower Pflaster gespielt hat, einmal diese Zeilen zu lesen bekommt, soll sie erfahren, daß in der Gegend von Piotrków die Erinnerung an ihre Eltern lebt, und daß es eine gute Erinnerung ist. Dr. Hellenbrand hielt sich angeblich im Frühjahr 1945 in Berlin auf. Die sowjetischen Besatzungsbehörden in Deutschland richteten an die mittlerweile polnischen Behörden in Piotrków eine Anfrage über Dr. Hellenbrand. Soweit ich unterrichtet bin, hat der damalige Staatsanwalt Błotnicki Dr. Hellenbrand das beste Leumundszeugnis ausgestellt.

Jan Śliwiński
Kraków

JULIUS MADRITSCH

In der Zeit vor 1943 war ich Lehrer an einer Handelsschule für Mädchen. Die Direktorin dieser Schule war Lidia Kozak. Wohl um Neujahr 1943 hörte ich zum ersten Mal über Madritsch und seine Aktivitäten zugunsten von Menschen in Not. Dies wurde nur unter vorgehaltener Hand berichtet, weil der Feind überall seine Ohren hatte, und die Zeit mit jedem Tag grausamer wurde.

Als der Oberassistent Dobiesław Doborzyński verhaftet wurde, fühlten wir uns an der Schule nicht mehr sicher. Jeder von uns war bemüht, seine Spuren zu verwischen. Es gab dafür Gründe genug. In Krakau funktionierte die Krakauer Universität („Ne cedat Academia") im Untergrund weiter und die Universitätsprofessoren Zenon Klemensiewicz, Bogusław Leśnodorski und Józef Hołda wurden bei Frau Kozak pro forma angestellt, in der Tat aber gingen sie ihren eigentlichen Pflichten als Hochschullehrer nach. Ich hatte nachgemachte Kennkarten auf dem Gewissen und Geburtsurkunden, die wir zusammen mit Kollegen von der Akademie für Bildende Künste (Jan Wcisło, von den Deutschen gehenkt, und Kazimierz Żurek, heute in den USA) produzierten. Beides verbreitete ich damals recht sorglos, wie ich das aus der heutigen Perspektive einschätzen muß.

Anfang 1943 landete ich durch die Vermittlung von Antoni Żakowski (Schauspieler) und Roman Zbroja (Sportler) in der Konfektionsfabrik von Madritsch im Stadtteil Rynek Podgórski (Krakau). Ich wurde Hilsfkraft im Lager. Ich fühlte mich nie einsam, um mich spürte ich mir wohlgesinnte Menschen. Ganz offenbar waren sie alle illegal organisiert, obwohl niemand darüber etwas verlauten ließ. Ich hörte nichts davon, keinen Namen, keine Parolen.

Sehr oft fiel im Lager das Wort „Manko" und „Materialeinsparungen". Das Manko wurde unter Mitwisserschaft der österreichischen Leitung „gemacht", sobald sich die Möglichkeit bot, sich auf Ratten, Transportschäden bzw. Fehlmessungen auszureden. Die Materialeinsparungen waren Werk der genialen überwiegend jüdischen Zuschneider, aber auch der Pole Mikołajski war darin ein großer Künstler.

Von diesen Mankos und Einsparungen lebten unsere Familien. Ein Teil der Hilfe wurde an die Familien der polnischen, in Lagern umgekommenen Soldaten, an Waisenkinder und andere Bedürftige überwiesen. Darüber berichtete detailliert in seiner Erklärung vom 10. April 1968 Oberst Henryk Weryński, Kaplan der polnischen Armee.

In unserem Stofflager fanden jene Zuflucht, die Verhaftung befürchten mußten. Im Lager wurden auch Waffen versteckt gehalten und weiter vermittelt. Darüber waren sich die österreichische Leitung und einige Arbeitskollegen im klaren.

In der Fabrik arbeiteten viele Juden, die zu meiner Zeit zunächst aus dem Getto geholt wurden, und später ausschließlich aus dem Lager in Płaszów. Die Arbeit bei Madritsch betrachteten sie als Erholung. Die Hölle erwartete sie jeden Tag erst im Lager – und der tägliche Weg dahin war auch nicht beneidenswert.

In dem Werkslager am Podgórski Rynek (Podgórski-Markt) waren hauptsächlich Polen beschäftigt. Außer jenen zwei Freunden, die mich dahin vermittelt hatten, arbeiteten dort Jan Holeczek, von der Gestapo ermordet (sein Bruder Feliks arbeitete im Büro derselben Fabrik), die Brüder Sołtys (Zbigniew und Stanisław) und Stefan Pająk mit seinen Brüdern, Tadeusz Pacześniak, der später nach Auschwitz kam, Franciszek Gonciarczyk, Zygmunt „Biały" (Deckname), Edward Kleinmann, Zygmunt „Czarny", Józef Kalinowski und andere. Viele von ihnen leben noch.

Mit jedem Transport der Stoffe, die bereits zugeschnitten waren und von unserem Materiallager in die Näherei hinüber gebracht wurden, die im Lager Płaszów eingerichtet wurde, weil man die Juden nicht mehr aus dem Lager raus ließ, gingen auch Lebensmittel mit. Manchmal schmuggelten die Juden ein bißchen Lebensmittel in den polnischen Teil des Lagers weiter, denn zu diesem Teil gab es gar keinen Zugang. Dort wurde mein sehr geschätzter Freund von der Akademie der Bildenden Künste, Jerzy Makarewicz, festgehalten und umgebracht.

Madritsch war zu uns stets freundlich, er lächelte uns immer an, er strahlte Herzlichkeit aus. Gelegentlich wirkte er bedrückt, aber auch dann behielt er immer die Geduld. Er kam ab und zu in die Lagerräume, um ein bißchen zu plaudern. Einmal spielte er uns auf dem Akkordeon ein paar Takte unserer Nationalhymne „Noch ist

Polen nicht verloren" vor. Manchmal schenkte er Frau Maria oder einer anderen Frau zum Namenstag oder Geburtstag ein paar weiß-rote Blumen (polnische Nationalfarben). Man hatte den Eindruck, er wollte uns Zuversicht einflößen.

Im Büro waltete Raimund Tietsch, ein ruhiger, freundlicher Mensch. Er war älter als Madritsch, sie kannten sich allerdings noch aus ihrer Wiener Zeit. Er lebt nicht mehr, gestorben in Wien 1976.

Außerhalb des Werks wirkte in der Nähe noch ein Wiener – Oswald Bosko. Er trieb sich auf dem Marktplatz unter den Marktfrauen herum, die illegale Lebensmittel (Geschlachtetes, Butter, Speck) angeboten haben, worauf Todesstrafe oder Konzentrationslager standen. Bosko übersah dies immer geflissentlich und diente den Frauen als Schutzmantel, bis er Ende 1944 wegen Hochverrats von der Gestapo ermordet wurde.

Im November 1944 zog ein kalter Wind durch unsere Lagerräume auf die Nachricht hin, daß Madritsch verhaftet worden ist. Zunächst hieß es, er werde im Krakauer Montelupi-Gefängnis eingesperrt, dann aber kam die Nachricht, daß er nach Berlin überführt worden sei. Wir gerieten in leichte Panik.

Den Anlaß für seine Verhaftung gab angeblich irgendeine polnische Untergrundzeitung, die den Namen Madritsch mit Sympathie erwähnt hatte, was schlimm war, zumal vor dem Hintergrund der grauenhaften Berichte über die Liquidierung des Krakauer Gettos und über die unmenschlichen Lebensbedingungen im jüdischen Lager in Płaszów. In diesem Lager gab es Mord, Hunger, ansteckende Krankheiten und bezahlte jüdische Spitzel.

Wie mir Madritsch nach dem Krieg in Wien berichtete, habe er zunächst geglaubt, unter dem Verdacht der Zugehörigkeit zu der Verschwörung vom 20. Juli oder wegen seiner Zusammenarbeit mit dem polnischen ZWZ (eine der im Untergrund wirkenden polnischen Widerstandsgruppen) verhaftet worden zu sein. Zu seiner Freilassung trug vermutlich Annelise Pigorra aus Berlin, eine Angestellte aus dem Fabriksbüro in Podgórze, bei.

Zum Schluß möchte ich noch hinzufügen, daß Madritsch in Israel mit der dort geprägten silbernen Medaille mit der Aufschrift: „Wer ein Menschenleben rettet, rettet die ganze Welt" bedacht wurde. Er errettete einige hundert Menschenleben vor dem Tod. Zu seinen Ehren wurde auch ein Baum in der Allee der Gerechten in Tel Aviv gepflanzt.

Er wohnt in Wien und kränkelt oft. Seine Frau nennt ihn scherzhaft eine „zarte Blume".

Und dennoch war er ein Held und anständiger Mensch.

Jadwiga Turnau
Warszawa

WEHRMACHT KONTRA GESTAPO

Im Sommer 1942 wurden ein deutscher Unteroffizier und einige Soldaten in unserem Haus einquartiert. Eines Tages kam dieser Unteroffizier zu mir und warnte mich, daß Deutsche kommen, die polnische Jugend für die Zwangsarbeit in Deutschland suchen, und er bereit sei, junge Menschen aus diesem Hause bei sich zu verstecken, weil seine Räumlichkeiten bestimmt nicht durchsucht werden. Im Hause gab es drei kleine Kinder, eine heranwachsende Tochter und zwei Jungen aus der Nachbarschaft. Er versteckte sie alle bei sich unter einem großen Tisch, der mit einem sehr großen Tischtuch fast bis zum Fußboden überdeckt war. Die Deutschen kamen, durchsuchten das ganze Haus, was einige Stunden lang dauerte, und zogen mit leeren Händen davon.

Ähnliches ist auch im Winter Ende 1942 bzw. Anfang 1943 vorgekommen. Es wurden Juden aus den naheliegenden Dörfern und Städtchen (Ożarów Świętokrzyski) abtransportiert. Einige konnten flüchten. Sie fanden Versteck in den Heuschobern auf unserem Feld, und wir brachten ihnen jeden Tag um eine bestimmte Stunde zu essen. Viele beteiligten sich daran, auch mein dreizehnjähriger Sohn. Im Hause waren viele Wehrmachtssoldaten einquartiert, die sicherlich mitbekommen haben, was los war. Niemand hat die Juden angezeigt. Die Juden haben so überwintert und dann verschwanden sie, ganz offenbar verzogen sie sich in die Wälder. Es gelang ihnen, den Winter zu überleben, und keiner der deutschen Soldaten hat sie verraten. Es gab unter den Wehrmachtssoldaten anständige Menschen.

Zbigniew Wierzbicki
Warszawa

KREISSCHULRAT CMIEL

Ich möchte über einen Deutschen berichten, der sich in der Zeit der deutschen Besatzung auf seinem Posten im Generalgouvernement sehr anständig verhalten hat.

Er war Kreisschulrat und hieß Cmiel, seinen Vornamen weiß ich nicht mehr. Er übernahm seinen Posten im Kreisamt Puławy im Jahre 1941. Meine Mutter hatte seinerzeit eine zweijährige Handelsschule in Nałęczów gegründet, und diese Schule wurde von der Besatzungsmacht nicht geschlossen, so hatten wir öfters Kontakt mit Cmiel. Er war Schlesier, deutscher Bürger, sprach aber den schönen oberschlesischen polnischen Dialekt. Bei offiziellen Anlässen sprach er Deutsch und verhielt sich so, daß hinsichtlich seiner Volkszugehörigkeit keine Zweifel aufkommen konnten, obgleich er weder aus seiner Abstammung noch aus seiner Kenntnis des Polnischen ein Hehl machte. Er gehörte der NSDAP an und sein Sohn (oder gar mehrere) kämpften als Flieger an der Front.

Zu den Aufgaben des Kreisschulrates Cmiel gehörte es, eine allgemeine Aufsicht über die Schule zu führen und den Unterricht zu inspizieren. Er drückte ein Auge zu und übersah, daß das Schulprogramm unerlaubterweise um einige allgemeinbildende Fächer erweitert wurde, was in der Besatzungszeit an Berufsschulen (und nur jene durften funktionieren) im Generalgouvernement nicht selten vorkam. Er nahm nicht zur Kenntnis, daß es eine Schülerselbstverwaltung gab, daß nationale Feiertage feierlich begangen wurden, was an anderen Schulen mit strengerer Aufsicht nicht denkbar war. Er war stets hilfsbereit, und zwar selbstlos, weil wir ihn nie bestachen, und trug dazu bei, daß so manche Klippe umfahren werden konnte. Er schützte die Schüler, die dauernd in Gefahr waren, als Zwangsarbeiter nach Deutschland verschickt zu werden. Als diese Gefahr einmal besonders akut wurde und fast alle Schüler betraf, akzeptierte er unter einem nichtigen Vorwand (Kartoffelferien) kurze Schulferien, bis die Gefahr gebannt war. Er hatte einen polnischen Schulinspektor (Salwowski?) als Mitarbeiter, der ein redlicher Mensch und Patriot war. Die Zusammenarbeit zwischen den beiden verlief reibungslos.

Jener Schlesier, NSDAP-Mitglied, hinterließ in Nałęczów die besten Erinnerungen, die erst vor dem Hintergrund jener Zeit gerecht gewertet werden können. Cmiel hatte es vermutlich auch deshalb relativ leicht gehabt, weil sein Vorgesetzter für den Distrikt Lublin, Wehner, sich wenig in die Angelegenheiten der polnischen Schulen einmischte. Als 1944 einige Schüler der Handelsschule und ein Lehrer aus Nałęczów in das Konzentrationslager in Majdanek kamen, unterstützte er freundlich unser Gesuch um ihre Freilassung, die dann auch tatsächlich erfolgt ist, obschon schwer zu sagen ist, wessen Stimme welche Wirkung zeigte.

Janina Wojtiszek
Gliwice

HRAMOTA

Dies hat sich in der Zeit der deutschen Besatzung in Kołomyja zugetragen. Ich kehrte vom illegalen Unterricht zurück nach Hause und ging noch in einem Geschäft vorbei, um Sacharin zu besorgen. Im Geschäft traf ich Polizisten – einen deutschen und einen ukrainischen, die alle Eintretenden durchsuchten. Sie wollten dahinter kommen, wer den Laden mit Weißbrot belieferte. Natürlich wurde auch meine Tasche durchsucht. Drinnen waren Bücher, und in einem dieser Bücher steckte als Lesezeichen „Hramota" (eine Art russisches Diplom für die besten Schüler). Dieser Wisch Papier gelangte in meine Hände auf einem recht seltsamen Wege. Im September 1939 wurde die bis dahin polnische Stadt Kołomyja durch die Rote Armee besetzt. Es kam eine neue Verwaltung, und die Behörden richteten Schulen für verschiedene Nationalitäten ein, u.a. auch für Polen mit Polnisch als Unterrichtssprache. Ich unterrichtete an einer solchen Schule und war Klassenlehrerin. Es war meine Pflicht, eben diese Diplome auszustellen. Durch Zufall behielt ich ein fehlerhaftes Exemplar. Das Rad der Geschichte drehte sich weiter, Kołomyja fiel in deutsche Hände, ich dachte nicht mehr an diese Hramota. Auf der Rückseite machte ich mir Notizen über die historische Entwicklung der deutsch-polnischen Beziehungen. Das Problem bei der Durchsuchung meiner Tasche ergab sich daraus, daß auf dieser Hramota sowohl Lenin als auch Stalin abgebildet waren. Auf die Polizisten hatte dies eine Wirkung wie das rote Tuch auf den Stier. Sie hörten auf, weiter zu revidieren und stürzten sich auf mich. Ich wurde in das Gebäude der Polizei gebracht und in eine Einzelzelle eingesperrt. Ich setzte mich auf das Holzgestell, das ein Bett sein sollte, und betrachtete in der Dämmerung „optimistische" Aufschriften meiner Vorgänger an der Wand, wo meistens stand: „Ich nehme Abschied von meinem jungen Leben". Ich zerbrach mir den Kopf mit Überlegungen, was auf mich zukommt. Sicherlich werde ich verhört. Was soll ich dann sagen? Was bin ich eigentlich? Nachdem die Deutschen in Kołomyja einmarschiert waren, unterrichtete ich an einer polnischen Handelsschule, für die unter größten Anstrengungen in Lemberg eine Genehmigung erwirkt werden konnte. Die Schule wurde aber bald wieder aufgelöst. Aus dieser Zeit blieb mir nur ein Ausweis übrig, der allerdings ungültig war. Man brauchte aber einen Ausweis. Ein polnischer Ingenieur, der in einer deutschen Firma für Brückenbau beschäftigt war, besorgte mir einen. Diesem nach war ich in dieser Firma als Köchin angestellt. Dieser Ausweis war einwandfrei, nur zog die Firma an einen anderen Ort, und der Ingenieur wurde nach Posen versetzt, von wo er mir schrieb, ich solle mich dieses Ausweises nicht mehr bedienen. In der mir beschlagnahmten Tasche wurden also zwei Ausweise aus nicht mehr existierenden Arbeitsplätzen gefunden.

Nach vielen Stunden (die Uhr wurde mir ebenfalls weggenommen) wurde ich zum Verhör gerufen. Am Schreibtisch saß ein Hauptmann in mittlerem Alter und auf dem Schreibtisch lagen meine Ausweise und die Hramota ausgebreitet. Er blickte mich aufmerksam an und fragte: „Sagen Sie mir bitte, was Sie eigentlich sind?" Ich wagte den höchsten Einsatz und entgegnete geradeheraus: „Ich bin Geschichtslehrerin". Darauf sagte er: „Ist Ihnen klar, daß die Aufbewahrung solcher Dinge (er deutete auf die Hramota hin) in einer Zeit, in der Deutschland und Rußland im Kriegszustand sind, hoch gefährlich ist? – Brauchen Sie diese Notizen?" „Nein", gab ich zur Antwort. Der Hauptmann ergriff die Hramota, öffnete den brennenden Ofen und schmiß sie hinein. Dann sammelte er meine Bücher, steckte sie in die Mappe und sagte. „Jetzt können Sie ruhig nach Hause gehen". Er sagte nichts mehr, stellte keine einzige Frage mehr. Auf Teilnahme am illegalen Unterricht stand Konzentrationslager, und zwar nicht einmal als Höchststrafe. Zu Hause wurde ich als Besuch aus dem Jenseits begrüßt... Im Gefängnis gab es polnische Wächter, ich versuchte überall herauszubekommen, wer mir geholfen hatte. Keine Spur. Dieser Deutsche rettete mir das Leben. Ich bete oft für ihn und behalte ihn nun schon 40 Jahre lang in dankbarer Erinnerung. Er ist mir ein nahestehender Unbekannter.

Aleksander Zaczyński
Zakopane

ICH HÄTTE IHN ALS ERSTER IN SCHUTZ GENOMMEN

Ich erinnere mich gut an einen Deutschen, der die ganze Besatzungszeit Kreishauptmann in Starachowice war. Er rief den Gemeindeverband mit dem Ziel ins Leben, daß dieser die früher von der Selbstverwaltung erfüllten Aufgaben übernimmt, wie z.B. Straßenerhaltung, Landwirtschaft, Krankenhäuser, Ambulanzen, den Veterinärdienst, Waisenhäuser und Altenheime.

Der Deutsche hieß Zettelmeyer, schadete niemand und Polen ging er sehr zur Hand, und zwar in den unterschiedlichsten Situationen. In meiner Erinnerung ist er einer von sieben Kreishauptleuten (bzw. Starosten), die ich in den 19 Jahren Dienst in Wydział Powiatowy Sejmiku Iłżeckiego (im Kreisamt der territorialen Selbstverwaltung in Starachowice-Wierzbnik) erlebt habe. Er war einer der vornehmsten Beamten, mit dem ich es zu tun hatte. Wenn ich bei ihm in meiner Privatangelegenheit vorsprach, stand er immer hinter dem Schreibtisch auf, ging auf mich zu, gab mir die Hand, bat mich, Platz zu nehmen, und hörte sehr aufmerksam und engagiert zu, was mich bedrückte. Meistens wußte er auch einen Weg zu helfen. Zum Abschied erhob er sich wieder, begleitete mich zur Tür und schüttelte mir die Hand. Als meine Frau schwer erkrankt war, stellte er seinen Wagen zur Verfügung, damit sie ins Krankenhaus gebracht werden konnte. Als die Gendarmerie ein Strafprotokoll eingereicht hatte, wandte er die Verhaftung ab. Als ich bei einer Razzia gefangengenommen wurde und als Zwangsarbeiter nach Deutsch and verschleppt werden sollte, bekam er mich frei. Als mein Sohn geboren wurde, ließ er mir eine bessere und qualitätsmäßig wertvollere Zuteilung auf Lebensmittel ausstellen und schickte mir obendrein schriftlich Gratulationen zu. Er war sympathisch und polenfreundlich. Ich weiß nicht, wie es ihm ganz zuletzt in Polen erging, ob er es schaffte, sich abzusetzen oder ob er verhaftet wurde. Ich hätte ihn jedenfalls als erster in Schutz genommen.

Maria Zaremba
Warszawa

SCHWESTER MAURA

Ich bin Veteranin des Zweiten Weltkrieges. Als der Krieg ausbrach, war ich 17. Die ganze Besatzungszeit lang besuchte ich den illegal geführten Unterricht – zunächst auf Oberschulniveau, dann als Studentin. Ich war zugleich Melderin in der Untergrundarmee AK. Der Ausbruch des Warschauer Aufstandes begann für mich am Narutowicz-Platz. Am 15. August wurde ich von den Deutschen in Raszyn bei Warschau festgenommen und als Zivilperson zur Zwangsarbeit nach Leipzig verschickt. In der Waffenfabrik H.K. Heise Maschinenbau-Bohlitz-Ehrenberg in der Hermann-Göring-Str. 35/37 arbeitete ich acht schlimme Monate lang. In der Zwischenzeit verlor ich meinen Vater, der in einem Konzentrationslager starb. Meine Mutter kehrte glücklicherweise aus dem KZ Ravensbrück zurück. Meine Schwester war im Warschauer Aufstand fast bis zur letzten Stunde als Krankenschwester tätig. Unsere Wohnung mitsamt ihrer Einrichtung war ein Ruin. Obwohl ich unter den Deutschen so viel gelitten habe, möchte ich auch einen Beitrag zu diesem „Weißbuch" liefern und einige Erinnerungen aus der Leipziger Zeit beifügen.

Bis an mein Lebensende behalte ich in meiner Erinnerung die Ordensschwester von engelhafter Güte, die ich am ersten Sonntag meines Zwangsaufenthalts in Leipzig in einer Kirche getroffen habe. Sie hieß Maura, den Familiennamen weiß ich nicht. Ich weiß nicht einmal, Mitglied welchen Ordens sie war. Sie wohnte privat in der Dieskaustr. 297, weil die Klöster aufgelöst worden waren. Nicht nur mir, sondern auch meinen Schicksalsgenossinnen erteilte sie eine weitgehende materielle und geistige Hilfe. Wir hatten nichts mit, weder Wäsche, noch Kleider, noch Schuhe oder Strümpfe. Schwester Maura sammelte für uns und versorgte uns mit dem Allernötigsten. Sie lud uns auch an einigen Sonntagen zu sich, wobei sie bat, sich konspirativ zu verhalten, weil sie schon ein paar Mal von der Gestapo wegen ihrer ungebührlichen Freundlichkeit zu Ausländern verhört worden war.

Ich habe auch die Kirche in Leipzig in bester Erinnerung. An diesem ersten Sonntag, als wir mit unseren an die Kleidung aufgesteckten „Winkeln"[1] die Kirche betraten, wußten wir gar nicht, daß es den Polen nur einmal im Monat erlaubt war, zum Gottesdienst zu kommen, dazu noch nur in die dafür bestimmte Kirche. Uns lud jedoch niemand aus. Nach der Messe riet uns aber eine Deutsche, vor dem Betreten der Kirche das Zeichen „P" (Pole) abzunehmen.

In dem Stadtteil Leutsch gab es eine Dominikanerkirche, in der wir auf Französisch beichten konnten. Diese Patres sagten uns auch, daß wir uns in Not immer an sie wenden könnten. Sie veranstalteten extra für Polen am Sonntag Nachmittag in einer abgeschlossenen Kapelle Andachten, was beileibe nicht ungefährlich war. Zunächst beteten wir selbst vor dem ausgesetzten Allerheiligsten auf polnisch die Lauretanische Litanei, dann „Unter deinen Schutz und Schirm" und wir sangen auch immer „Gott, der Du Polen Jahrhunderte lang beschützt hast ...". Anschließend kam ein Dominikaner und gab uns den Segen mit der Monstranz .

In der Fabrik kam es vor, daß ein Deutscher einen Apfel auf unsere Maschine legte und ein anderer, von dem wir wußten, daß er Kommunist ist, flüsterte uns zu, daß die Russen schon nahe seien.

Ich gestehe offen, daß ich mich anfangs gedemütigt fühlte, wenn mir von den Deutschen etwas Gutes widerfuhr. Dies paßte nicht in mein Bild des Deutschen, das ich in der Zeit der Besatzung gewann. Heute möchte ich mit meinem Beitrag die Güte jener unbekannten Deutschen zu einem kleinen Teil zurückzahlen.

Alina Zduniak
Warszawa

ICH SCHREIE, WEIL ICH SCHREIEN MUß

Ich wohnte in Białystok. Am 4. Dezember früh polterte es an unserer Tür. Jeder wußte, daß es die Deutschen waren. Ich lag grippekrank mit Fieber im Bett, meine Mutter stand auf und öffnete die Tür. Zwei Gendarmen traten ein. Einen von ihnen erkannte ich sogar. Er war Weißrusse und aus Białystok, das 1939 für kurze Zeit von den Russen erobert worden war, wir arbeiteten in der gleichen Firma. Er fuhr Brot aus. Sie befahlen mir, mich anzuziehen und mitzukommen. Da der Deutsche sah, daß ich krank war, riet er mir, auch die Decke mitzunehmen. Unterwegs drängte der Weißrusse, daß ich schneller gehe. Darauf nahm mich der andere in Schutz und sagte: „Siehst Du denn nicht, daß sie krank ist?!" Ich wurde in ein Revier gebracht, wo bereits viele Frauen saßen. Es stellte sich heraus, daß wir Geiseln waren, die nach der Ermordung einer Deutschen, Koch, verhaftet worden waren. Diese Frau Koch hatte vielen Menschen sehr viel Böses angetan.

Von dort aus wurden wir mit einem Gefängniswagen ohne Fenster in das Arbeitslager in Zielona bei Białystok überführt. Dort begegnete ich freundlichen Deutschen. Meine Cousine brachte mir dorthin einen Wintermantel, in dem ein Becher mit heißem Kaffee mit Milch eingewickelt war. Die Cousine flüsterte mir schnell zu. „Im Mantel ist heißer Kaffee, verschütte ihn nicht!" Dies kriegte der Wächter mit und schrie los: „Was schiebt sie Dir denn da zu, was ist denn da drin!" Ich antwortete wahrheitsgemäß und bat, den Kaffee behalten zu dürfen. Er holte mit der Spießrute aus und schrie weiter:" Hier ist ein Lager, kein Krankenhaus, verstanden!?" Er schlug aber nicht zu, sondern flüsterte radebrechend auf polnisch: „Ich schreie, weil ich schreien muß, mach, daß Du davon kommst mit Deinem Kaffee". Ich ging weinend davon, behielt aber meinen Kaffee. Er war angeblich ein Ermländer. Ich fragte ihn einmal, warum ich hier festgehalten werde, worauf er mir antwortete: „Ich weiß nicht, wir haben unsere Hunde nicht aus Deutschland geholt, polnische Hunde bellen Dich an."

Im Lager paßte ein Deutscher in Zivil auf uns auf. Er trieb uns nicht an, warnte uns aber vor der Inspektion. Der Inspektor schrie uns unmöglich an, er war schon von weitem zu hören.

Nach zwei Wochen Lager kam ich raus, was das Verdienst Vieler war. Ich wurde aber sofort in die Arbeit geschickt. Einer der Lagergendarmen begleitete mich zum Arbeitsamt und ließ mich so lange nicht aus den Augen, bis ich meine Arbeitszuteilung in der Hand hatte. Ich kam in ein Büro, dem alle Landgüter unterstanden. Die Leiterin war eine Deutsche, eine intelligente und gute Frau. Sie ließ uns oft früher nach Hause gehen und einmal in der Woche hatte jede von uns einen freien Tag. Sie entschuldigte uns immer vor dem Direktor. Sie war fleißig und hilfsbereit.

Und noch eine Erinnerung. Mein Onkel war Eisenbahner und trank gern einen über den Durst. Eines Abends wartete meine Tante besonders lange auf ihn, er kam aber nicht. Nach neun Uhr war meine Tante verzweifelt, weil sie annahm, daß ihn die Deutschen nach der Polizeistunde erwischt hätten. Plötzlich klopfte es ans Fenster und sie hörte eine bekannte Stimme sagen: „Mütterchen, mach nur auf, dein Trinker ist angekommen." Es stellte sich heraus, daß der Onkel nach neun Uhr tatsächlich noch durch die Gegend schwankte und einen deutschen Offizier traf. Jener hakte sich bei ihm fest ein, und brachte ihn nach Hause. Der Offizier sagte ihm: „Sie tun mir leid, auch ich habe einen Vater."

Wir wollen hoffen, daß der liebe Gott diesem Offizier diese gute Tat angerechnet und ihn aus diesem Krieg heil nach Hause geführt hat.

Maria Zdziechowska
Warszawa

RETTINGER WAR FREUNDLICH ZU UNS

Im Krieg lernte ich ein paar gute Deutsche kennen. Einer von ihnen war Gestapochef in Miechów, er hieß Rettinger. Er benahm sich in seiner Stellung so sonderbar, daß wir schon dachten, er wäre ein englischer Agent. Als Juden aus Miechów abtransportiert wurden, fuhr er auf Urlaub. Als er verpflichtet war, Zwangsarbeiter nach Deutschland zu schicken, suchte er sich welche unter den Verbrechern aus, die infolge des Kriegsausbruches aus dem Gefängnis raus kamen. Als unsere Nachbarn Herr und Frau Wielkopolski zu den Partisanen gestoßen sind, ließen sie zu Hause drei Kinder unter der Obhut der Lehrerin zurück. Er kam und nahm sie alle nach Miechów mit. Meine Nachbarin Haller und ich begaben uns wegen der Kinder zu ihm. Er sagte uns aber: „Die Kinder werden bald zurück sein. Ihnen wird nichts passieren. Weit schlimmer wäre es um mich bestellt, wenn ich einmal in Eure Hände fallen würde." Rettinger war freundlich zu uns, er war anständig. Als die Russen kamen, wurde er in Krakau gefangen genommen und vors Gericht gestellt. Angeblich gab es viele Zeugen, die sich für ihn eingesetzt haben. Er starb aber im Gefängnis an einer Krankheit.

Ein anderer anständiger Deutscher war Kreislandwirt Saupe, der für polnische Anliegen ebenfalls großes Verständnis zeigte. Er hatte sogar mit der polnischen Untergrundarmee (AK) Kontakte. Meinen Mann schätzte er als einen sehr guten Landwirt. Jene Gutsbesitzer, die schlecht wirtschafteten und die Zwangsabgaben nicht erbringen konnten, ließ er eigentlich auch mehr oder weniger in Ruhe.

Es gab noch andere anständige Deutsche. Einer von ihnen rettete Jan Brzechwa, den berühmten polnischen Schriftsteller. Brzechwa fand einen Unterschlupf bei der Familie Haller. Eines Tages sah ein Deutscher, wie Brzechwa im Park spazieren ging und sagte zu den Hallers: „Wenn ihr schon einen Juden versteckt, dann tut dies wenigstens so, daß ich es nicht sehe."

Teresa Żółkowska-Kądzielowa
Warszawa

DER GENDARM

Unser Religionslehrer verlangte von uns, daß wir während des Schuljahres jeden Sonntag unbedingt zur Schülermesse kommen. Die dreiwöchigen Winterferien 1941/1942 endeten an einem Sonntag, es war mir nicht ganz klar, ob diese Pflicht auch schon an diesem Sonntag galt. Ich entschloß mich aber, hinzugehen. Ich freute mich schon darauf, nach so vielen Tagen meine Schulfreundinnen wieder zu sehen. Der illegale und jener halblegal stattfindende Unterricht in der Zeit der deutschen Besatzung schuf unter uns Schülern engere Bande der Freundschaft, als dies sonst der Fall gewesen wäre. Gleich nachdem ich aus der Haustür herausgetreten war, erblickte ich einen Gendarmen, der in voller Ausrüstung in Richtung „Pole Mokotowskie" (Stadtteil von Warschau) lief und in die Luft schoß. In jener Zeit regte sich bei einem solchen Anblick keiner sonderlich auf. Auch ich sah darin nichts Außergwöhnliches und ging meinen Weg zur Haltestelle weiter. In der Haustür des Eckhauses an der 6-Sierpnia-Str. stand Frau Krzystkiewicz und rief mir zu: „Wohin willst du denn? Das ‚Gitterhaus' (so nannten wir das Haus an der Ecke 6-Sierpnia-Str. und Sucha-Str., in dem Familien der Militärs wohnten) ist umstellt!" –"Ich will in die Kirche", gab ich zurück, „sie lassen mich sicher (in der Straßenbahn) vorbeifahren, auch wenn sie im ‚Gitterhaus' nach jemand suchen."

Bald kam auch die Straßenbahn, ich lief auf sie zu und sprang auf die letzte Plattform auf, von der man im Notfall wieder am besten abspringen konnte. Die Straßenbahn bog in die Kurve von der Niepodległości-Allee in die 6-Sierpnia-Str. hinein. Kaum 200 m weiter hörte ich ein lautes „Halt!". Scharfes Bremsen und die Straßenbahn hielt an. Um den Wagen herum standen lauter „grüne Uniformen". Auf dem Bürgersteig drängte sich eine Gruppe von Menschen, vermutlich Passagiere der Straßenbahn vor uns, ebenfalls von Gendarmen umstellt.

Es war ein frostiger Tag. Die meisten Passagiere befanden sich im Wagen, draußen auf der Plattform standen nur ich und ein armselig aussehender Junge, der obwohl kleiner als ich, womöglich älter war.

Wir beide erstarrten. Die Plattform betrat ein Gendarm und verlangte nach unseren Ausweisen. „Schülerlegitimation", reagierten wir beide im Chor und zückten gleichzeitig die orangenfarbenen Ausweise. Der Gendarm sah sie sich an und raunzte in schwer verständlichem Polnisch „Versteckt euch!".

Wir traten in das Waggoninnere ein, aus dem gerade nach vorne hin alle Passagiere hinausgeführt worden waren. Die Straßenbahn setzte sich wieder in Bewegung. Ich erreichte ohne weitere Zwischenfälle den Narutowicz-Platz. In die Kirche waren nur wenige Freundinnen gekommen. Nach der Messe war nicht daran zu denken, nach Hause zu gehen. Durch die ganze Stadt heulten die Sirenen der hin und her fahrenden Gefangenenwagen. In weiten Teilen der Stadt wurden Razzien veranstaltet. Ich blieb praktisch den ganzen Sonntag bei meiner Freundin, die gleich hinter der Kirche wohnte. Erst am Abend, kurz vor der Polizeistunde, nachdem sich alles beruhigt hatte, schlich ich mich durch die Seitenstraßen nach Hause zurück.

Ich mußte an diesen Gendarmen sehr oft denken. Woher hatte er die Brocken Polnisch? War er ein Schlesier oder Österreicher? Vielleicht schnappte er sich das bißchen Polnisch während seiner Dienstzeit in dem Generalgouvernement auf? Ich kann mich nicht einmal an seine Gesichtszüge erinnern, ich weiß auch nicht, wie alt er gewesen sein mochte. Vielleicht entsann er sich seiner Kinder bzw. Geschwister, als er uns erblickte.

Was ihn auch immer zu dieser Tat bewogen haben mochte, er hat uns vor Gefängnis, Lager bzw. vor dem Tod bewahrt.

Margit Macho
Wien

NACHWORT

1

Am 20. Jänner 1942 fand unter dem Vorsitz von Reinhardt Heydrich eine Sitzung statt, in der die Vernichtungspläne der deutschen Naziregierung im Hinblick auf die Endlösung mit den zuständigen Stellen abgestimmt wurden. Wie einem Fragment des Wannseekonferenzprotokolls zu entnehmen ist, wurden die zu vernichtenden Juden aller Länder Europas auf über elf Millionen geschätzt.[1] Die „Nürnberger Gesetze", am 15. September 1935 erlassen, bildeten die erste gesetzliche Grundlage für die rassistische Politik des Nationalsozialismus. Zehn Jahre später setzte die schrittweise Entdeckung der Resultate dieser Politik durch die Nachkriegsöffentlichkeit ein. Daten aus den Konzentrations- und Vernichtungslagern[2] sowie Daten über die Vernichtungsaktionen[3] belegen sie.

2

Mit dieser schrittweisen Entdeckung fand auch allmählich die Rekonstruktion der Gegenbilder ihren Anfang. Der Name Scholl wurde zu einem Symbol, der Name Maksymilian Kolbe, der Name Janusz Korczak. Mit der filmischen Bearbeitung des Falles durch Axel Corti wurde der Name Franz Jägerstätter verstärkt zum Symbol. So konnte die Geschichte des Nationalsozialismus im Wortsinn korrigiert werden durch die Gegenbilder dieser Symbole, die Zeugen sind der Verweigerung, des Widerstandes, der Versuche, verbotene Hilfe zu leisten.

„Majdanek-Prozeß! Danke, Eberhard, für Deine Filme über diesen Prozeß, der die Banalität, die bestialische Beiläufigkeit, das ganz Gewöhnliche, selbstverständlich Gewordene, sich selbst Genügende des Bösen zeigt."[4]

Ohne Gegenbilder und diejenigen, die sie unermüdlich aufstöbern und aufzeichnen, ist deutsche Geschichte, polnische Geschichte, österreichische Geschichte nicht denkbar.

Die vorliegende Publikation hat solche Gegenbilder auch aufgezeigt. Sie porträtiert Menschen, die anderen Menschen geholfen haben.

3

Die Geschichte ist eine große Lehrmeisterin.

Nun gilt es zu fragen:

Wer schreibt Geschichte?
Wer liest sie?
Wer lernt?

FUßNOTEN

1

LAND		ZAHL
A.	Altreich	131.800
	Ostmark	43.700
	Ostgebiete	420.000
	Generalgouvernement	2.284.000
	Białystok	400.000
	Protektorat Böhmen und Mähren	74.200
	Estland – judenfrei	
	Lettland	3.500
	Litauen	34.000
	Belgien	43.000
	Dänemark	5.600
	Frankreich / Besetztes Gebiet	165.000
	Unbesetztes Gebiet	700.000
	Griechenland	69.600
	Niederlande	160.800
	Norwegen	1.600
B.	Bulgarien	48.000
	England	330.000
	Finnland	2.300
	Irland	4.000
	Italien einschl. Sardinien	58.000
	Albanien	200
	Kroatien	40.000
	Portugal	3.000
	Rumänien einschl Bessarabien	342.000
	Schweden	8.000
	Schweiz	18.000
	Serbien	10.000
	Slowakei	88.000
	Spanien	6.000
	Türkei (europ. Teil)	55.500
	Ungarn	742.800
	UdSSR	5.000.000
	Ukraine	2.994.684
	Weißrußland ausschl. Białystok	446.484
zusammen über		11.000.000

2 Aus: Das Dritte Reich. Ursprünge, Ereignisse, Wirkungen. Hsg. V. Martin Broszat und Norbert Frei in Verbindung mit dem Institut für Zeitgeschichte. München, Freiburg, Würzburg 1983. S.119f.

Nationalsozialistische Konzentrations- und Vernichtungslager

*Konzentrations-lager (KL)**	*errichtet*	*Konzentrations- und Vernichtungslager geschlossen***	*Außen-lager****	*Besonderheiten*
Dachau	22. März 1939	29. April 1945 (b)	169	Experimentierfeld und Ausbildungsstätte für Organisation und Methoden des gesamten KZ-Systems
Sachsenhausen	Aug. 1936	22. April 1945 (b)	61	
Buchenwald	15. Juli 1937	11. April 1945 (b)	134	
Flossenbürg	3. Mai 1938	23. April 1945 (b)	92	
Mauthausen	Juni 1938	5. Mai 1945 (b)	56	Besonders schwere Haftbedingungen („Stufe III")
Neuengamme	Herbst 1938	29./30. April 1945 (e)	73	Zunächst Kommando von KZ-Sachsenhausen, ab 4, Juni 1940 selbständig
Ravensbrück	15. Mai 1939	30. April 1945 (e)	42	Frauen-KZ (Vorläufer: KZ Moringen bzw. Lichtenburg)
Stutthof (Danzig)	1. Sept. 1939	ab 27. Jan 1945 (e)	107	Erst „Zivilgefangenen-lager", dann „SS-Sonderlager"
Auschwitz (I)	20. Mai 1940	27. Jan. 1945 (b)	38	Hauptlager u. Zentrale des dreiteiligen Komplexes
Groß-Rosen	2. Aug. 1940	Febr. 1945 (e)	99	Zunächst Kommando von KZ-Sachsenhausen, ab 1. 5. 1941 selbständing
Natzweiler-Struthof	1. Mai 1941	ab Sept. 1944 (v)	49	Häftlinge nach Süddeutschland verlegt
Lublin-Majdanek	Okt. 1941	22./24. Juli 1944 (b)	10	Ab Sommer 1942 Vernichtungslager
Auschwitz II (Birkenau)	26. Nov. 1941	27. Jan 1945 (b)		Ab Jan. 1942 Vernichtungslager
Auschwitz III (Monowitz)	31. Mai 1942	27. Jan 1945 (b)		Arbeitslager Buna-Werk (IG-Farben). Zentrale der Außenkommandos Auschwitz (I)
Herzogenbusch-Vught	5. Jan. 1943	5./6. Sept 1944	13	auch Judendurchgangslager - Häftlinge im Sept. 1944 nach Sachsenhausen überstellt
Riga (Lettland)	15. März 1943	ab 6. Aug. 1944 (e)	17	Evakuierung über Stutthof nach Buchenwald und Dachau
Bergen-Belsen	April 1943	15. April 1945 (b)	-	Erst Aufenthaltslager für Juden, ab März 1944 für Arbeitsunfähige aus anderen KZ
Dora-Mittelbau	27. Aug. 1943	9. April 1945 (b)	29	Unterirdische Rüstungsproduktion (V2)
Warschau	15. Aug. 1943	ab 24 Juli 1944 (e)	-	Errichtet zu Aufräumungsarbeiten im ehemaligen Ghetto
Kaunas (Litauen)	15. Sept 1943	ab 14. Juli 1944 (e)	8	Evakuierung über Stutthof nach Dachau
Vaivara (Estland)	15. Sept 1943	3. Okt. 1944 (l.e.)	10	
Klooga (Estland)	Sept. 1943	19. Sept. 1944 (l.e.)	3	offizielle Bezeichnung „SS-Arbeitslager"
Krakau-Plaszow	11. Jan. 1944	15. Jan 1945 (b)		

* Nicht aufgeführt sind die KZ, die zwischen 1933 und etwa 1937 unter verschiedener Zuständigkeit (Staat, SA, lokale Instanzen) bestanden, wie z. B. Kemna, Orranienburg, Sachsenhausen, Heuberg, Hohnstein, Fuhlsbüttel. Nicht erwähnt sind außerdem Zwangsarbeitslager für Juden, Arbeitserziehungslager, Polizeihaftlager in den besetzten Gebieten, Ghettos, „Sonderlager", Strafgefangenenlager (Emsland), Jugendschutzlager u. a. Haftstätten, die nicht als KL galten, obwohl ähnliche Haftbedingungen herrschten. Zum KZ-System gehörten aber die mobilen Häftlingseinsätze bei SS-Bau- bzw. Eisenbahnbaueinheiten und zwei kleinere selbständige Lager (Arbeitsdorf bei Fallersleben und Niederhagen in Wewelsburg) von geringer Dauer bzw. Bedeutung.

** b= befreit durch alliierte Truppen, e = von der SS evakuiert, v = verlegt nach anderen Lagern, l.e = letztmals erwähnt. Evakuierungsversuche (Todesmärsche) gab es bei allen Lagern.

*** Dem Hauptlager unterstehende Außen- und Unterkommandos, die teilweise weit entfernt zur Versorgung von SS- oder Rüstungsbetrieben bzw. anderen Einrichtungen mit Arbeitskräften eingerichtet wurden. Die Sollstärke betrug mindestens 500 Häftlinge, die Iststärken lagen zwischen einem und vielen Tausend Häftlingen.

[3] ebd.

*Vernichtungslager**	*Vernichtungsaktionen*	*Todesopfer*
Kulmhof/Chelmno	8. Dez. 1941–März 1943, Sommer 1944	15.200
Auschwitz-Birkenau	Jan. 1942–Nov. 1944	über 1.000.000 über 600.000
Belzec	17. März 1942–Frühjahr 1943	
Sobibór	7. Mai 1942–Herbst 1943	250.000
Treblinka	23. Juli 1942–Okt. 1943	700.000–900.000
Lublin-Majdanek	Sommer 1942–Juli 1944	200.000**, darunter 60.000 Juden

* Weitere lagermäßig organisierte Vernichtungsaktionen fanden in Jungfernhof (Jumpravmuiza, Lettland) Ende 1941 bis Ende 1942 und in Maly Trostinec (Weißrußland) Herbst 1942 bis Juni 1944 statt. Den Massenmorden in eigens eingerichteten Lagern gingen die Massenerschießungen von Juden, sowjetischen Kriegsgefangenen u. a. durch die mobilen „Einsatzgruppen" der SS voraus oder verliefen parallel dazu (etwa 1 Million Todesopfer).

** Die Gesamtzahl der Todesopfer gilt für die Zeit ab Errichtung des KL. In der Vernichtungslager-Phase bis Herbst 1943 Vergasungen, dann vor allem Erschießungen (am 3. Nov. 1943 Ermordung von 18.000 Juden [„Erntedankfest"]).

[4] Corti, Axel; Der Schalldämpfer.
„Dank an Eberhard Fechner". Ausstrahlung am 16. August 1992.